La Chanson de Roland

D0043794

ÉTONNANTS • CLASSIQUES

La Chanson de Roland

Traduction de JEAN DUFOURNET

Présentation, notes, choix des extraits et dossier par
PATRICE KLEFF,
professeur de lettres

Flammarion

Le Moyen Âge
dans la collection « Étonnants Classiques »

Aucassin et Nicolette
La Chanson de Roland
CHRÉTIEN DE TROYES, *Lancelot ou le Chevalier de la charrette*
Perceval ou le Conte du graal
Yvain ou le Chevalier au lion
Fabliaux du Moyen Âge (anthologie)
La Farce de Maître Pathelin
La Farce du Cuvier et autres farces du Moyen Âge
ROBERT DE BORON, *Le Roman de Merlin*
Le Roman de Renart

© Éditions Flammarion, 2003.
Édition revue, 2014.
ISBN : 978-2-0813-3659-9
ISSN : 1269-8822

SOMMAIRE

PRÉSENTATION

Aux sources de *La Chanson de Roland*

Un texte très ancien

La Chanson de Roland est l'un des textes français les plus anciens qui nous soient parvenus. Il est impossible de le dater de façon très précise et d'identifier exactement son auteur, mais on peut estimer que sa rédaction remonte aux dernières années du XIe siècle, aux environs de 1090. Quant à l'auteur, qui se présente dans le dernier vers de son récit (« Ici s'arrête l'histoire que Turold raconte »), il s'agit probablement d'un homme de lettres, un clerc[1], qui a mis en forme et rédigé une histoire déjà connue et racontée en France depuis plusieurs années. La vie de Turold nous est pratiquement inconnue à ce jour.

Est-ce du français ? *La Chanson de Roland* est écrite en ancien français. Sa traduction est donc nécessaire pour la rendre compréhensible : en effet, notre langue a tellement évolué depuis neuf cents ans qu'il serait impossible à un non-spécialiste de lire le manuscrit de Turold dans sa langue originale[2]. Mais qu'appelle-t-on ancien français ?

1. *Clerc* : homme d'Église ayant reçu la tonsure (voir note 2, p. 60). Au Moyen Âge, les clercs sont quasiment les seuls à savoir lire et écrire.
2. Voir dossier, p. 143.

Le français est une langue romane, c'est-à-dire principalement issue du latin, comme l'espagnol, le portugais et l'italien. Le latin a subi une évolution telle que, en France, au début du Moyen Âge, on distingue deux grandes langues : la langue d'oc, parlée dans le sud du pays, et la langue d'oïl, employée dans le Nord. Ces langues se divisent elles-mêmes en de nombreux dialectes et patois régionaux et locaux. Ainsi, au Nord, on parle picard, anglo-normand ou encore francien. C'est ce dernier dialecte qui se généralise au cours des siècles pour évoluer vers la langue française moderne. Turold, lui, a écrit *La Chanson de Roland* en anglo-normand.

Un récit guerrier

L'intrigue de *La Chanson de Roland* est assez simple à résumer : l'arrière-garde[1] de l'armée de Charlemagne, conduite par son neveu le comte Roland, tombe dans une embuscade que le roi des Sarrasins*[2], Marsile, a montée avec l'aide du traître Ganelon. Malgré un combat héroïque mené par Roland et les pairs*, les Français succombent sous le nombre. Charlemagne, arrivé trop tard, les venge en détruisant l'armée de Marsile puis, lors d'une seconde bataille, celle de l'émir Baligant, venu au secours de Marsile. Enfin, Ganelon est châtié et la reine musulmane Bramimonde, veuve de Marsile, se convertit au christianisme.

Même si Roland meurt à la moitié du récit, il en est le héros, et ce n'est pas un hasard s'il lui donne son titre. Meneur d'hommes exceptionnel, il entraîne derrière lui tous ses soldats dans un combat que chacun sait perdu d'avance. Guerrier

---

1. *Arrière-garde* : dans une armée, soldats qui ferment la marche.
2. Pour tous les astérisques, voir la note sur l'édition, p. 18.

inégalable, il abat des centaines d'ennemis et parvient à lui seul à faire fuir les quarante mille chevaliers qui l'encerclent ! Ce qui ne l'empêche pas d'être sensible : il pleure et s'évanouit à la mort d'Olivier, son frère d'armes... L'ampleur des combats (trois grandes batailles et d'innombrables duels), leur enjeu, le rôle des forces divines et l'extraordinaire personnalité des héros inscrivent *La Chanson de Roland* dans le genre le plus ancien de la littérature universelle : l'épopée.

Épopée et chanson de geste

Qu'est-ce qu'une épopée ?

L'épopée est un long poème racontant des faits héroïques importants, des combats qui ont permis à une nation d'être fondée ou de triompher de ses pires ennemis. Le surnaturel y est omniprésent : il se manifeste dans la démesure des exploits accomplis ou par l'intervention de forces divines ou magiques.

Les récits épiques existent à travers le monde depuis des temps très reculés. En Inde, le *Mahābhārata*, écrit environ quatre siècles avant notre ère, relate un combat entre deux familles dont l'issue détermine le sort du monde. À Babylone[1], il y a plus de quatre mille ans, on racontait déjà l'épopée de Gilgamesh, héros parti en quête de l'immortalité. On attribue à Homère, poète grec du VIIIe siècle avant Jésus-Christ, *L'Iliade* et *L'Odyssée*,

1. *Babylone* : ancienne ville de Mésopotamie, sur l'Euphrate.

qui évoquent respectivement le siège de Troie par les armées grecques et le difficile retour d'Ulysse dans son pays (ici, les interventions des dieux qui contrarient ou aident les héros sont fréquentes). En Europe du Nord, on trouve également des textes hérités des temps reculés, telles les sagas islandaises ou les épopées celtiques en Irlande. En Afrique, les Peuls et les Mandingues[1] possèdent de longs récits des exploits de leurs héros qui se transmettent oralement. Et cette liste est loin d'être complète...

La chanson de geste

En France, l'épopée du Moyen Âge est appelée chanson de geste. « Chanson » car, à une époque où très peu de gens savaient lire, elle était très souvent chantée ou racontée par les artistes itinérants qu'on appelait alors jongleurs. Quant au mot « geste », il vient du latin *gesta*, qui signifie « exploits guerriers ». La chanson de geste est donc le récit de prouesses accomplies par des héros d'exception. Afin de faciliter le travail de mémorisation du conteur, les chansons de geste étaient divisées en strophes de longueurs variables appelées « laisses ». Dans *La Chanson de Roland*, Turold utilise des vers décasyllabiques (vers de dix syllabes) terminés par des rimes qui aident également à l'apprentissage du poème. Enfin, les fréquentes répétitions (voir par exemple les laisses 41 et 42) fournissent au jongleur des points de repère utiles dans un texte de plus de quatre mille vers.

---

1. *Peuls* et *Mandingues* : peuples d'Afrique occidentale.

Mythe et réalité historique

« Charles dont la barbe est fleurie... »

Si Roland est incontestablement le héros de *La Chanson de Roland*, Charlemagne en est le personnage le plus prestigieux. Tous deux sont d'ailleurs les seuls personnages réels du récit, tous les autres sont fictifs. Le texte prend des libertés avec la vérité historique : ainsi Charlemagne est-il censé être âgé de plus de deux cents ans. Cette longévité n'est pas une exagération gratuite, elle permet de situer l'empereur à la « barbe fleurie » dans la lignée des grands rois de la Bible, descendants de Moïse.

De plus, Charlemagne est qualifié d'« empereur » dans *La Chanson de Roland*. Or le fait historique réel qui inspire notre épopée a eu lieu en 778, soit vingt-deux ans avant le sacre de Charlemagne comme empereur d'Occident ; à l'époque, il n'est encore que roi des Francs et il est très loin d'avoir achevé toutes les conquêtes qui lui permettront de fonder un vaste empire.

La déroute de Roncevaux

Ces transpositions de la vérité historique ne sont pas les seules. En 778, Charlemagne revient d'une expédition guerrière en Espagne. Il y est allé pour répondre à l'appel du gouverneur sarrasin* de Saragosse[1] confronté à une rébellion de sa propre armée. Une fois les dissensions internes réglées, Charlemagne

1. *Saragosse* : ville située dans le nord de l'Espagne.

franchit les Pyrénées à Roncevaux pour rentrer en France. L'arrière-garde de son armée est alors attaquée par des montagnards basques, vraisemblablement venus piller le butin amassé par les Francs lors de leur expédition. L'embuscade aboutit à la destruction de l'arrière-garde des Francs : c'est une défaite totale et humiliante pour Charlemagne.

Pourquoi, plus de trois siècles plus tard, cette déroute militaire est-elle devenue le prétexte à la chanson de geste la plus glorieuse consacrée à Charlemagne ?

Un récit écrit à l'époque des croisades

La Chanson de Roland est pratiquement contemporaine de la première croisade, conduite à partir de 1095 par le duc français Godefroy de Bouillon, qui aboutit en 1099 à la prise de Jérusalem.

Les croisades sont officiellement des guerres saintes menées par les chrétiens, avec l'accord du pape, pour reconquérir le tombeau du Christ à Jérusalem et y fonder un royaume chrétien. Dans cette ville, alors gouvernée par les Arabes, vivent des chrétiens, des juifs et des musulmans ; en effet, les trois religions y possèdent des lieux saints. Les croisades suscitent en France un véritable enthousiasme, mais souvent pour des motifs beaucoup moins désintéressés que la religion : l'appât du gain attire sans doute de nombreux chevaliers et combattants.

Dans ce contexte, la figure de Charlemagne, l'empereur qui christianisa une grande partie de l'Europe grâce à ses guerres de conquête, et dont le grand-père, Charles Martel, arrêta en 732 l'invasion des Sarrasins* à Poitiers, devient symbolique de la lutte qui s'annonce entre chrétiens et musulmans. La déroute de Roncevaux est par conséquent transformée en guerre sainte que Charlemagne, directement aidé par Dieu, ne peut que gagner.

Cela explique sans doute que, dans *La Chanson de Roland*, les musulmans sont présentés comme des ennemis de Dieu, auxquels les chrétiens ne laissent qu'une alternative : se convertir ou mourir. D'ailleurs, alors même qu'il est en train de livrer un terrible combat à l'émir Baligant, Charlemagne ne lui dit-il pas : « Reçois [...] la foi chrétienne, et aussitôt je t'aimerai » ?

Islam et christianisme : une entente difficile

L'islam vu par *La Chanson de Roland*

Pour le lecteur d'aujourd'hui, *La Chanson de Roland* n'est pas un modèle de tolérance ! La peinture des musulmans y est extrêmement péjorative et le texte n'est pas exempt de racisme. Cela est en grande partie lié à l'époque de rédaction de la *Chanson* – les relations étaient très tendues entre chrétiens et musulmans. Il faut également tenir compte de l'ignorance des Français à l'égard de la civilisation arabo-musulmane : ainsi, Turold, alors même qu'il sait que les musulmans sont monothéistes comme les chrétiens, et parce qu'il compte très probablement sur l'ignorance de ses lecteurs, n'hésite pas à affirmer que les Sarrasins* vénèrent des dieux inconnus, Apollin et Tervagant, auxquels ils élèvent des statues et qu'ils tiennent pour responsables de leur défaite.

Au Moyen Âge, les moyens de connaissance des civilisations étrangères étaient maigres : on voyageait peu et il y avait peu de livres.

Une riche civilisation

Pourtant, au XIe siècle, les deux cultures se sont déjà côtoyées et ont déjà eu des contacts pacifiques. C'est certes par la guerre que tout a commencé : les Arabes ont conquis l'Espagne au début du VIIIe siècle, mais, au fil des années, ils y ont installé une brillante civilisation, notamment en Andalousie ; dans des villes comme Grenade, Séville et surtout Cordoue coexistent musulmans, juifs et chrétiens – les trois religions sont tolérées et pratiquées, même si le pouvoir politique est exclusivement exercé par les musulmans.

Bibliothèques et universités ont permis d'échanger et de développer des connaissances dans des domaines aussi divers que la médecine, la poésie ou les mathématiques. Des idées ont circulé, de même que des mots – l'espagnol puis le français ont en effet emprunté à l'arabe quelques-uns de leurs mots courants (ainsi en est-il des termes « algèbre », « zéro », « hasard », « alchimie », « sirop » ou « alcool »).

Et aujourd'hui ?

Si *La Chanson de Roland* ne nous montre pas cet aspect positif et enrichissant des relations entre le monde musulman et le monde chrétien, c'est parce que le contexte dans lequel elle a été écrite imposait d'exagérer les caractéristiques des deux camps : d'un côté la « vraie » religion, c'est-à-dire le Bien ; de l'autre les « païens », représentant le Mal. Écrite à une époque où le christianisme cherchait à s'étendre par la guerre sainte et où la tolérance n'était pas une valeur reconnue, *La Chanson de Roland* s'est imposée comme l'épopée d'un pays capable de triompher en dépit de l'adversité. Elle conduit inévitablement le lecteur d'aujourd'hui à s'interroger sur le monde contemporain, qui n'a toujours pas résolu les conflits qu'elle présente : peut-on encore imposer ses convictions par la violence ? Le monde peut-il se réduire à une opposition entre le Bien et le Mal ? Et, surtout, comment deux civilisations que l'Histoire a souvent fait s'affronter peuvent-elles trouver les moyens de vivre ensemble dans la paix ?

© Roger-Viollet

■ Charlemagne combattant les Sarrasins en Espagne, en 778. Miniature extraite d'*Ogier le Danois* (1499).

CHRONOLOGIE

VIIIe siècle XVe siècle

■ **Quelques repères historiques et culturels**

711 Venus d'Afrique du Nord, les Maures conquièrent l'Espagne. Ils poursuivent ensuite leur progression vers le nord.

732 Charles Martel, maire du palais des Francs, remporte une victoire décisive sur l'armée des Maures à Poitiers.

756 Fondation de l'émirat de Cordoue par 'Abd al-Rahmān Ier, qui étend son autorité et propage l'islam en Espagne.

768 Charlemagne, petit-fils de Charles Martel, devient roi des Francs. Il mène de nombreuses guerres de conquête victorieuses et fonde la dynastie carolingienne.

778 Charlemagne tente, sans succès, de reprendre Saragosse (ville située dans le nord-est de l'Espagne) à l'émir de Cordoue 'Abd al-Rahmān Ier. Mais, tandis que son armée se replie vers la France, son arrière-garde, commandée par Roland, comte des marches de Bretagne, est massacrée dans les Pyrénées, au col de Roncevaux, par des montagnards basques.

800 Charlemagne, qui a contribué à propager le christianisme dans toute l'Europe du Nord, se fait couronner empereur d'Occident.

814 Mort de Charlemagne.
Son fils Louis Ier le Pieux lui succède.

842 Rédaction des *Serments de Strasbourg*, premier texte connu entièrement écrit en langue romane, c'est-à-dire en français du Moyen Âge. Il s'agit d'un pacte d'assistance mutuelle entre Louis II le Germanique et Charles II le Chauve, deux des fils de Louis Ier le Pieux.

IXe-Xe siècles Apogée intellectuel et artistique de Cordoue, où se côtoient savants et poètes musulmans, juifs et chrétiens.

987	Hugues Capet devient roi de France et fonde la dynastie capétienne.
XIe siècle	Début de la poésie en langue romane, avec les troubadours dans le Midi et les trouvères dans le nord de la France.
1095	Première croisade, menée par le duc Godefroy de Bouillon, qui parvient à prendre Jérusalem en 1099. Les croisades, au nombre de neuf, se succéderont jusqu'en 1291.
Vers 1100	Écriture de *La Chanson de Roland* (il n'est pas possible de la dater plus précisément).
XIIe siècle	Développement important de la littérature française (les chansons de geste et la poésie).
Entre 1160 et 1190	Marie de France écrit ses *Lais*.
Entre 1165 et 1180	Chrétien de Troyes compose ses romans de chevalerie (*Yvain ou le Chevalier au lion*, *Lancelot ou le Chevalier de la charrette*, *Perceval ou le Conte du graal*).
Vers 1174	Rédaction du *Roman de Renart* (anonyme).
Vers 1180	Béroul écrit *Tristan*.
XIIIe-XVe siècles	Déclin de la puissance musulmane en Espagne, qui prend fin en 1492, lorsque la ville de Grenade est conquise par le roi catholique Ferdinand.

NOTE SUR L'ÉDITION

La présente traduction est celle de Jean Dufournet (GF-Flammarion, 1993), qui s'appuie sur le manuscrit d'Oxford (Digby 23). Les passages supprimés sont signalés et les résumés sont présentés dans un caractère différent. Les laisses, dont la numérotation est celle du texte intégral, ont été regroupées en dix-neuf chapitres.
Les mots suivis d'un astérisque sont expliqués dans le lexique, p. 133.

La Chanson de Roland

© Roger-Viollet

■ Entrevue de Charlemagne avec Roland et Ganelon. Préparatifs du retour en France. Miniature des « Chroniques et conquêtes de Charlemagne », XVe siècle.

I. La trahison de Ganelon

(laisses 1 à 57)

1

Charles[1] le roi, notre grand empereur,
sept ans tout pleins est resté en Espagne.
Jusqu'à la mer il a conquis les hautes terres ;
il n'est château qui devant lui résiste,
mur ni cité qui restent à forcer[2],
hors Saragosse[3] qui est sur une montagne.
Le roi Marsile la tient, qui n'aime pas Dieu ;
il sert Mahomet[4] et invoque[5] Apollin[6] :
il ne peut empêcher le malheur de l'atteindre.

1. ***Charles*** : Charlemagne.
2. ***Restent à forcer*** : résistent.
3. ***Saragosse*** : voir présentation, note 1, p. 9. En réalité, cette ville est située dans une plaine.
4. ***Mahomet*** : prophète de l'islam (570 ?-632).
5. ***Invoque*** : appelle à l'aide par des prières.
6. ***Apollin*** : un des dieux sarrasins inventés par l'auteur de *La Chanson de Roland*, peut-être à partir de l'expression arabe *Abu l-la 'in* (le « père du Maudit », c'est-à-dire Satan).

2

Le roi Marsile se tient à Saragosse.
Il est allé dans un verger à l'ombre ;
sur un perron[1] de marbre bleu il se couche,
autour de lui plus de vingt mille hommes.
Il interpelle et ses ducs et ses comtes :
« Sachez, seigneurs, quel malheur nous accable[2] !
L'empereur de la douce France, Charles,
en ce pays est venu nous détruire.
Je n'ai pas d'armée qui lui livre bataille,
je n'ai pas de gens pour briser les siens.
Conseillez-moi en sages vassaux*,
gardez-moi de la mort et de la honte. »
Il n'est païen* qui réponde un seul mot,
hors Blancandrin du Château de Valfonde.

3

Blancandrin était des plus sages païens*,
par sa valeur excellent chevalier,
homme avisé[3] pour aider son seigneur.
Il dit au roi : « Ne vous effrayez pas !
Assurez Charles, l'orgueilleux et le fier,
de vos fidèles services et de votre amitié.
Vous lui donnerez ours, lions et chiens,
sept cents chameaux et mille autours mués[4],
quatre cents mulets d'or et d'argent chargés,

---

1. ***Perron*** : bloc de pierre.

2. ***Accable*** : frappe, écrase, terrasse.

3. ***Avisé*** : réfléchi.

4. Les autours sont des rapaces dressés pour la chasse. Le texte précise qu'ils sont « mués », c'est-à-dire qu'il s'agit de rapaces dont on a surveillé

cinquante chariots formés en convoi :
il en pourra bien payer ses soldats.
En cette terre il a longtemps guerroyé :
en France, à Aix[1], il lui faut retourner.
Vous le suivrez à la Saint-Michel[2]
et recevrez la foi des chrétiens ;
vous serez son homme[3] en tout bien tout honneur.
S'il veut des otages, fort bien, envoyez-lui-en
dix ou vingt pour le mettre en confiance.
Envoyons-y les fils de nos femmes :
dût-il mourir, j'y enverrai le mien.
Il vaut bien mieux qu'ils y perdent leurs têtes
que nous ne perdions honneurs et biens
et que nous soyons réduits à mendier.

[Blancandrin part en ambassade auprès des Français afin de leur faire croire que Marsile accepte de se soumettre à Charlemagne et de se convertir au christianisme.]

8

L'empereur se montre joyeux et gai :
Cordres[4] est prise et ses murailles en pièces ;

---

la mue : ils ont été capturés avant celle-ci et, par conséquent, n'ont pas pris de mauvaises habitudes.

1. Aix-la-Chapelle, aujourd'hui située sur le territoire de l'Allemagne, était la résidence favorite de Charlemagne, qui y fit construire la chapelle Palatine.

2. Saint Michel, archange, est fêté le 29 septembre. Au début du VIIIe siècle, il serait apparu à un évêque et lui aurait demandé de construire un édifice à sa gloire. Dans cet épisode se trouve l'origine du Mont-Saint-Michel, haut lieu de pèlerinage qui accueillit ensuite la célèbre abbaye.

3. ***Vous serez son homme*** : vous lui obéirez comme à un seigneur.

4. ***Cordres*** : ville d'Espagne.

de ses perrières* il a abattu les tours.
Quel grand butin ont fait ses chevaliers
en or, en argent et riches équipements !
Dans la cité il n'est resté de païen*
qui ne soit mort ou devenu chrétien.
L'empereur est dans un grand verger,
auprès de lui Roland et Olivier,
le duc Samson et le farouche* Anséis,
Geoffroy d'Anjou, gonfalonier* du roi ;
y sont aussi Gérin et Gérier ;
et, avec eux, d'autres encore, en grand nombre :
de la douce France ils sont quinze milliers.
Sur de blancs tapis sont assis les chevaliers ;
pour se distraire, les plus sages et les vieux
jouent aux tables [1] et aux échecs ;
les jeunes gens alertes [2] font de l'escrime.
Sous un pin, près d'un églantier,
on a placé un trône tout d'or pur :
là est assis le roi qui gouverne la douce France.
Il a la barbe blanche et la tête fleurie,
le corps bien fait et le maintien farouche*.
Si on le demande, inutile de le montrer.
Les messagers mirent pied à terre
et le saluèrent en tout amour et tout bien.

9

Blancandrin a le tout premier parlé
et dit au roi : « Que Dieu vous sauve,

1. ***Aux tables*** : au trictrac, jeu de dés proche du backgammon.
2. ***Alertes*** : vifs, agiles.

le Roi de gloire, que nous devons adorer !
Voici le message du valeureux* roi Marsile :
il s'est informé sur la foi du salut ;
ses richesses, il veut vous les prodiguer[1] :
ours et lions et vautres[2] tenus en laisse,
sept cents chameaux et mille autours mués[3],
quatre cents mulets d'or et d'argent chargés,
cinquante chariots dont vous ferez un convoi ;
il y aura tant de pièces d'or pur
que vous pourrez bien en payer vos soldats.
En ce pays vous êtes longtemps resté :
en France, à Aix, il vous faut retourner.
Là vous suivra mon maître, il l'assure. »
L'empereur étend ses mains vers Dieu,
il baisse la tête et commence à songer.

10

L'empereur tint la tête inclinée :
de parler il n'était pas impatient,
il avait coutume de parler à loisir[4].
Quand il se redressa, le visage farouche*,
il dit aux messagers : « C'est fort bien dit !
Le roi Marsile est mon grand ennemi.
À ces paroles que vous venez de dire,
en quelle mesure pourrai-je me fier ?
– Grâce à des otages, dit le Sarrasin* ;
vous en aurez dix ou quinze ou vingt.

---

1. ***Prodiguer*** : donner.
2. ***Vautres*** : chiens de chasse.
3. ***Autours mués*** : voir note 4, p. 22.
4. ***À loisir*** : quand il le souhaitait, selon son choix.

Dût-il mourir, j'y mettrai un de mes fils,
et vous en aurez, je crois, de plus nobles.
Quand vous serez en votre palais royal,
à la grande fête de saint Michel du Péril[1],
mon maître vous rejoindra, il l'assure ;
dans vos bains[2], que Dieu fit pour vous,
là il veut devenir chrétien[3]. »
Charles répond : « Il peut encore être sauvé. »

[Charlemagne tient un conseil afin de décider s'il acceptera l'offre de Marsile. Au cours de ce conseil, Roland, neveu de l'empereur, déclare sa méfiance et s'oppose violemment au comte Ganelon, son beau-père, qui défend l'idée d'une conciliation avec Marsile. Finalement, Ganelon l'emporte. Il est alors désigné comme ambassadeur pour porter la réponse de Charles, qui accepte la proposition de paix. Mais, furieux contre Roland qui s'est moqué de lui, Ganelon se laisse persuader par Blancandrin et Marsile de trahir son camp.]

38

Dans le verger s'en est allé le roi[4],
il emmène avec lui ses meilleurs vassaux* ;
Blancandrin, aux cheveux blancs, y vint,
et Jurfaret, son fils et son héritier,
et le calife[5], son oncle et son fidèle.

---

1. Voir note 2, p. 23.

2. Aix-la-Chapelle, d'abord baptisée par les Romains *Aquae Granni* (les eaux de Grannus, surnom du dieu Apollon), est une ville thermale.

3. ***Il veut devenir chrétien*** : il veut être baptisé. À l'époque de *La Chanson de Roland*, le baptême donnait lieu à une immersion du corps tout entier.

4. ***Le roi*** : il s'agit ici de Marsile.

5. ***Calife*** : prince arabe.

Blancandrin dit : « Appelez le Français :
pour nous servir, il m'a juré sa foi. »
Le roi dit : « Eh ! bien, amenez-le ici. »
Blancandrin a pris Ganelon par la main droite
et dans le verger l'a conduit jusqu'au roi.
C'est là qu'ils complotent l'injuste trahison.

39

« Cher seigneur Ganelon, lui dit Marsile,
j'ai été avec vous un peu désinvolte[1],
puisque de colère j'ai voulu vous frapper.
En gage de loyauté, voici ces zibelines[2]
dont les peaux valent en or plus de cinq cents livres :
avant demain soir, l'amende en sera belle. »
Ganelon répond : « Je ne refuse pas.
Que Dieu, s'il lui plaît, vous en récompense ! »

40

Marsile dit : « Ganelon, soyez convaincu
que je tiens à être votre vrai ami.
De Charlemagne je veux vous entendre parler.
Il est très vieux et il a fait son temps ;
à mon avis, il a deux cents ans passés.
Par tant de terres il a promené son corps,
il a pris tant de coups sur son bouclier,
réduit à mendier tant de puissants rois !
Quand sera-t-il lassé de faire la guerre ? »
Ganelon répond : « Charles n'est pas homme de ce genre.
Personne ne le voit ni n'apprend à le connaître

---

1. ***Désinvolte*** : léger, irrespectueux.
2. ***Zibelines*** : fourrures de l'animal du même nom.

sans dire que l'empereur est valeureux*.
Je ne puis assez l'exalter[1] et le louer
qu'il n'ait encore plus d'honneur et de vaillance*.
Sa grande valeur, qui pourrait l'estimer ?
Dieu fait briller en lui une si grande noblesse
qu'il préfère mourir que de manquer à[2] ses barons*. »

41

Le païen* dit : « J'ai tout lieu d'être émerveillé
par Charlemagne qui est chenu* et vieux.
À mon avis, il a deux cents ans et plus,
Par tant de terres il a épuisé son corps,
il a pris tant de coups de lance et d'épieu*,
il a réduit à mendier tant de puissants rois !
Quand sera-t-il lassé de faire la guerre ?
– Jamais, dit Ganelon, tant que vivra son neveu :
il n'est si bon vassal* sous la chape[3] du ciel.
Très brave aussi est son compagnon Olivier.
Les douze pairs*, que Charles aime tant,
forment l'avant-garde[4] avec vingt mille chevaliers.
Charles est en sûreté, car il ne craint personne. »

42

Le païen* dit : « Je suis émerveillé
car Charlemagne qui est chenu* et blanc.
À mon avis, il a plus de deux cents ans.
Par tant de terres il est allé en conquérant,

1. ***L'exalter*** : le célébrer, le glorifier.
2. ***Manquer à*** : ne pas tenir ses engagements envers quelqu'un (ici les barons) et, par extension, trahir.
3. ***Chape*** : manteau (ici, au sens figuré).
4. ***Avant-garde*** : dans une armée, soldats qui ouvrent la marche, par opposition à l'arrière-garde.

il a pris tant de coups de bons épieux* tranchants,
il a tué et vaincu en bataille tant de puissants rois !
Quand de faire la guerre sera-t-il lassé ?
– Jamais, dit Ganelon, tant que vivra Roland.
Il n'est si bon vassal* jusqu'en Orient.
Très brave aussi est Olivier, son compagnon.
Les douze pairs*, que Charles aime tant,
forment l'avant-garde avec vingt mille Francs.
Charles est en sûreté : il ne craint homme vivant[1]. »

43

« Cher seigneur Ganelon, dit le roi Marsile,
telle est mon armée que vous n'en verrez pas de plus belle :
j'ai bien quatre cent mille chevaliers.
Ai-je de quoi combattre Charles et les Français ? »
Ganelon répond : « Pas maintenant !
Vous perdriez quantité de vos païens*.
Laissez cette folie, choisissez la sagesse.
À l'empereur donnez tant de biens
qu'il n'y ait pas de Français qui ne s'en émerveille.
Pour vingt otages que vous lui enverrez,
en douce France retournera le roi.
Il laissera derrière lui son arrière-garde ;
son neveu en sera, le comte Roland, je crois,
et Olivier, le vaillant* et le courtois*.
Les comtes sont morts, si l'on veut me croire.
Charles verra choir[2] son grand orgueil,
il n'aura plus envie de vous faire la guerre. »

---

1. La laisse 42 reprend presque mot pour mot la laisse 41 (pour ces phénomènes de répétition, voir présentation, p. 8).
2. ***Choir*** : ici, diminuer, s'amoindrir.

44

« Cher seigneur Ganelon, dit le roi Marsile,
de quelle manière pourrai-je tuer Roland ? »
Ganelon répond : « Je puis bien vous le dire.
Le roi sera aux meilleurs cols de Cize[1] ;
derrière lui, il aura mis son arrière-garde ;
son neveu en sera, le puissant comte Roland,
et Olivier, en qui il se fie tant ;
vingt mille Francs les accompagnent.
Envoyez-leur cent mille de vos païens*,
qu'ils leur livrent une première bataille.
L'armée française sera blessée, meurtrie[2] ;
mais, je ne le nie pas, les vôtres seront massacrés.
Livrez-leur une autre bataille de même puissance :
à l'une ou à l'autre Roland n'échappera pas.
Alors vous aurez accompli une belle prouesse ;
vous n'aurez plus de guerre de toute votre vie.

45

« Si l'on pouvait faire que Roland y mourût,
alors Charles perdrait le bras droit de son corps,
et c'en serait fini des prodigieuses armées :
il ne rassemblerait plus de si grandes forces.
La Terre des Aïeux[3] resterait en repos. »
Quand Marsile l'entend, il l'embrasse sur le cou,
puis il commence à sortir ses trésors.

---

1. ***Cols de Cize*** : cols des Pyrénées permettant le passage entre l'Espagne et la France.
2. ***Sera* [...] *meurtrie*** : subira des pertes, sera gravement touchée.
3. ***La Terre des Aïeux*** : métaphore désignant la France.

46

Marsile dit : « Pourquoi parler davantage ?
Un conseil n'est utile que si l'on a confiance.
Vous me jurerez de trahir Roland. »
Ganelon répond : « Qu'il en soit ainsi qu'il vous plaît ! »
Sur les reliques* de son épée Murglis,
il a juré de trahir et commis le forfait.

47

Un trône se trouvait là, tout en ivoire.
Marsile fait apporter un livre
qui contenait la loi de Mahomet[1] et Tervagant[2].
Voici le serment du Sarrasin* d'Espagne :
si, à l'arrière-garde, il trouve Roland,
il se battra avec toute son armée,
et, s'il le peut, Roland y mourra, oui, vraiment.
Ganelon répond : « Que votre volonté soit faite ! »

48

Survint alors un païen*, Valdabrun.
Il s'approcha du roi Marsile.
Avec un rire sonore il dit à Ganelon :
« Prenez mon épée, personne n'en a de meilleure.
Sa garde[3] contient plus de mille mangons[4].
Par amitié, cher seigneur, je vous la donne

---

1. ***Mahomet*** : voir note 4, p. 21.
2. ***Tervagant*** : autre dieu sarrasin inventé par l'auteur de *La Chanson de Roland* (voir note 6, p. 21).
3. ***Garde*** : partie de l'épée qui se trouve entre la lame et la poignée et sert à protéger la main.
4. ***Mangons*** : monnaie d'or des Sarrasins.

pour que vous nous aidiez contre le vaillant* Roland
et qu'à l'arrière-garde nous puissions le trouver.
– Ce sera fait», répondit Ganelon.
Puis ils s'embrassèrent sur le visage et le menton.

49

Survint ensuite un païen*, Climborin.
Avec un rire sonore il dit à Ganelon :
«Prenez mon casque, jamais je n'en vis de meilleur,
et aidez-nous contre le marquis Roland
en telle manière que nous puissions le couvrir de honte.
– Ce sera fait», répondit Ganelon.
Puis ils s'embrassèrent sur la bouche et le visage.

50

Survint alors la reine Bramimonde[1].
«Je vous aime bien, seigneur, dit-elle au comte,
Car mon mari vous estime fort ainsi que tous ses hommes.
À votre femme j'enverrai deux colliers,
tout entiers d'or, d'améthystes et d'hyacinthes[2] :
ils surpassent toute la richesse de Rome.
Votre empereur n'en eut jamais de si beaux.»
Il les a pris, et les glisse dans sa botte.

51

Le roi appelle Mauduit son trésorier :
«Le trésor pour Charles est-il préparé ?»

---

1. La reine sarrasine est également appelée «Bramidoine» aux laisses 264, 265 et 291.

2. ***Améthystes*** et ***hyacinthes*** : pierres semi-précieuses respectivement violettes et orangées.

L'autre répond : « Oui, sire, tout est prêt :
sept cents chameaux chargés d'or et d'argent,
et des otages, des plus nobles qui soient. »

52

Marsile prit Ganelon par l'épaule
et lui dit : « Vous êtes valeureux* et sage.
Par cette foi qui, pour vous, assure le salut[1],
gardez-vous de détourner de nous votre cœur.
De mes richesses je veux vous combler :
voici dix mulets chargés de l'or le plus fin d'Arabie ;
jamais il ne se passera d'année que je vous en donne autant.
Prenez les clés de cette vaste cité :
ses grandes richesses, présentez-les à Charles,
et puis faites-moi placer Roland à l'arrière-garde.
Si je puis le trouver à un col ou à un défilé[2],
je le combattrai jusqu'à la mort. »
Ganelon répond : « Je crois que je m'attarde trop. »
Il monte alors à cheval et se met en route.

[Ganelon rejoint Charlemagne et lui fait croire qu'il n'a plus rien à craindre de Marsile. Cependant, l'empereur fait un rêve prémonitoire où il pressent la trahison.]

---

1. ***Assure le salut*** : sauve. Marsile parle à un chrétien pour qui, en effet, seule la foi en Dieu assure la vie éternelle.
2. ***Défilé*** : couloir naturel, encaissé et étroit.

II. Charlemagne confie l'arrière-garde de son armée à Roland

(laisses 58 à 67)

58

S'en va la nuit et se lève l'aube claire.
Parmi l'armée, regardant de tous côtés,
l'empereur chevauche l'air farouche*.
« Seigneurs barons*, dit l'empereur Charles,
voici les cols et les défilés étroits.
Désignez-moi donc qui sera à l'arrière-garde. »
Ganelon répond : « Roland, mon beau-fils :
vous n'avez pas de baron* qui soit si bon vassal*. »
Quand le roi l'entend, il le regarde, farouche*,
et lui dit : « Vous êtes le diable en personne.
Une rage mortelle vous est entrée au corps.
Et qui sera devant moi à l'avant-garde ? »
Ganelon répond : « Ogier de Danemark :
vous n'avez pas de baron* qui la fasse mieux que lui. »

59

Le comte Roland, quand il s'entendit désigner,
parla à la manière d'un chevalier :
« Seigneur beau-père, je dois bien vous chérir :
pour l'arrière-garde vous m'avez désigné.
Charles qui règne sur la France n'y perdra,
à mon avis, ni palefroi* ni destrier*
ni mulet ni mule qu'il doive monter ;
il n'y perdra ni monture ni bête de somme*
qui n'ait été d'abord disputée à l'épée. »
Ganelon répond : « Vous dites vrai, je le sais bien. » [...]

63

L'empereur s'adresse à son neveu Roland :
« Seigneur, cher neveu, vous le savez bien :
je vous laisserai la moitié de mes troupes ;
gardez-les : c'est votre salut. »
Le comte répond : « Je n'en ferai rien.
Dieu me détruise si je trahis ma race* !
Je garderai vingt mille Francs bien vaillants*.
Passez les cols en toute sécurité :
vous aurez tort de craindre aucun homme, moi vivant ! »

64

Le comte Roland est monté sur son destrier*.
Vers lui s'avance son compagnon Olivier ;
Gérin y vient, et le vaillant* comte Gérier,
et aussi Othon et Bérenger,
et aussi Astor et le vieil Anséis,
et le farouche* Gérard de Roussillon ;
y est venu le puissant duc Gaifier.

L'archevêque[1] dit : « J'irai, par ma tête !
– Et moi avec vous, dit le comte Gautier ;
je suis l'homme de Roland, je ne dois pas lui manquer. »
À eux tous ils choisissent vingt mille chevaliers. [...]

66

Hauts sont les monts, ténébreuses les vallées,
sombres les rochers, lugubres[2] les défilés.
Ce jour-là, les Français passèrent à grand-peine.
De quinze lieues* on entend leur bruit sourd.
Dès qu'ils parviennent à la Terre des Aïeux,
ils voient la Gascogne[3], la terre de leur seigneur.
Alors ils se souviennent des fiefs* et des domaines,
et des jeunes filles et des nobles femmes :
il n'y en a pas un qui ne pleure de tendresse.
Plus que tous les autres, Charles est anxieux :
aux cols d'Espagne, il a laissé son neveu.
De tendresse, il ne peut s'empêcher de pleurer.

67

Les douze pairs*[4] sont restés en Espagne,
accompagnés de vingt mille Francs.
Ils n'ont pas peur ni ne craignent la mort.
L'empereur s'en retourne en France :
sous son manteau, il cache sa douleur.
À son côté chevauche le duc Naimes

---

1. ***Archevêque*** : il s'agit de l'archevêque Turpin (voir laisse 89).
2. ***Lugubres*** : sombres, sinistres.
3. ***Gascogne*** : ancienne région française située entre la Garonne et les Pyrénées.
4. Les douze pairs ont été énumérés à la laisse 64.

qui dit au roi : « D'où vient votre tourment ? »
Charles répond : « C'est me blesser que me le demander !
J'ai tant de douleur que je ne puis retenir mes plaintes.
Par Ganelon la France sera détruite.
Cette nuit, il me vint, d'un ange, une vision :
entre mes poings, il brisait ma lance.
C'est lui qui a désigné mon neveu pour l'arrière-garde.
Je l'ai laissé en une province étrangère.
Dieu ! si je le perds, jamais je n'aurai son pareil. »

III. Le Sarrasin Marsile se prépare au combat

(laisses 68 à 79)

68

Charlemagne ne peut s'empêcher de pleurer.
Cent mille Français sur lui s'attendrissent,
et pour Roland ils redoutent le pire.
Le perfide Ganelon l'a trahi :
du roi païen* il a reçu de riches dons,
or et argent, draps de soie et brocarts[1],
mulets, chevaux et chameaux et lions.
Marsile convoque les barons* d'Espagne,
les comtes, vicomtes, ducs et almaçours[2],
les émirs[3] et les fils des comtors.
Il en rassemble quatre cent mille en trois jours.
Dans Saragosse il fait battre tambour.

---

1. ***Brocarts*** : tissus précieux.
2. ***Almaçours*** et ***comtors*** (vers suivant) : titres de noblesse chez les Sarrasins.
3. ***Émirs*** : souverains arabes.

On dresse Mahomet sur la plus haute tour,
il n'est pas de païen* qui ne le prie et adore.
Puis ils chevauchent à marches forcées
par la Terre Certaine[1], par vaux et par monts[2].
De ceux de France ils virent les étendards.
L'arrière-garde des douze compagnons
ne manquera pas d'engager la bataille.

[Aelroth, neveu du roi Marsile, forme une compagnie de guerriers chargés de défier avec lui les douze pairs* de France : sont désignés Falsaron, Corsablis, Malprimis de Brigant, Balaguer, Moriane, Turgis de Tortelose, Escremis de Valterne, Esturgant, Estramarit, Margarit de Séville et Chernuble de Munigre.]

79

Les païens* s'arment de cuirasses* sarrasines*
dont la plupart sont à triple épaisseur.
Ils lacent leurs solides casques de Saragosse[3]
et ceignent des épées d'acier viennois.
Ils portent de beaux boucliers, des épieux* de Valence[4]
et des étendards blancs, bleus et vermeils*.
Ils laissent les mulets et tous les palefrois*,
ils montent sur les destriers* et chevauchent en rangs serrés.
Clair était le jour et beau le soleil :
il n'est pas d'armure qui toute ne flamboie.

---

1. ***Terre Certaine*** : ancienne région pyrénéenne d'Espagne aujourd'hui appelée Cerdagne.
2. ***Par vaux et par monts*** : de tous côtés.
3. ***Saragosse*** : voir présentation, note 1, p. 9.
4. ***Valence*** : ville située sur la côte est de l'Espagne, à distinguer donc de Valence, ville française située sur le Rhône (laisse 122).

Mille clairons[1] sonnent pour que ce soit plus beau.
Le bruit est grand : les Français l'entendirent.
Olivier dit : « Seigneur et compagnon, je crois
que nous aurons à combattre les Sarrasins*. »
Roland répond : « Que Dieu donc nous l'accorde !
Nous devons bien rester ici pour notre roi :
pour son seigneur, le vassal* doit souffrir la détresse
et endurer les grandes chaleurs et les grands froids,
et il doit perdre et du cuir et du poil.
Que chacun veille à frapper de grands coups
Pour qu'on ne chante pas sur nous de funeste[2] chanson !
Les païens* sont dans leur tort, les chrétiens dans leur droit.
Mauvais exemple ne viendra jamais de moi. »

---

1. ***Clairons*** : instruments à vent, à son clair et puissant, utilisés pour sonner la charge, c'est-à-dire pour signifier l'assaut.
2. ***Funeste*** : lugubre, morbide.

IV. Olivier découvre la trahison de Ganelon

(laisses 80 à 90)

80

Olivier est monté sur une hauteur.
Il regarde sur sa droite par une vallée herbeuse
et voit venir l'armée des païens*.
Du coup il appelle Roland son compagnon :
« Du côté de l'Espagne, je vois venir une telle rumeur [1],
tant de blanches cuirasses*, tant de casques flamboyants !
Ces gens plongeront nos Français dans la douleur.
Ganelon le savait, le félon*, le traître,
qui nous désigna devant l'empereur.
– Tais-toi, Olivier, répond le comte Roland.
C'est mon beau-père, je ne veux pas que tu en dises mot. »

81

Olivier est monté sur une hauteur.
Maintenant il voit très bien le royaume d'Espagne

1. ***Rumeur*** : bruit confus.

et les Sarrasins* en grand nombre assemblés.
Brillent leurs casques aux pierres serties[1] d'or
et leurs boucliers et leurs cuirasses* safrées[2]
et leurs épieux* et leurs enseignes* dressées.
Il ne peut même pas compter les bataillons :
il y en a tant qu'il n'en connaît pas le nombre.
En lui-même il est tout bouleversé.
Le plus vite possible, il dévale du sommet,
vient aux Français et leur a tout raconté.

82

Olivier dit : « J'ai vu les païens*.
Jamais nul homme sur terre n'en vit plus.
Devant nous ils sont cent mille avec leurs boucliers,
le casque lacé et la cuirasse* blanche au dos ;
hampes* dressées, leurs épieux* bruns luisent.
Vous aurez une bataille comme il n'en fut jamais.
Seigneurs français, que Dieu vous donne sa force !
Tenez ferme le champ* pour que nous ne soyons pas
[vaincus ! »]
Les Français disent : « Maudit soit le fuyard !
Dût-on mourir, personne ne vous fera défaut[3]. »

83

Olivier dit : « Les païens* viennent en force,
et nos Français, il me semble qu'ils sont bien peu.
Roland, mon compagnon, sonnez donc votre cor :
Charles l'entendra et l'armée reviendra. »

1. ***Serties*** : incrustées.
2. ***Safrées*** : jaunes.
3. ***Fera défaut*** : abandonnera.

Roland répond : « Ce serait une folie !
En douce France j'en perdrais ma gloire.
Aussitôt, de Durendal, je frapperai de grands coups ;
sa lame en saignera jusqu'à la garde d'or.
Les païens* félons* ont eu tort de venir aux cols :
je vous le jure, tous sont condamnés à mort. »

84

« Roland mon compagnon, l'olifant*, sonnez-le donc !
Charles l'entendra, il fera retourner l'armée,
le roi nous secourra avec tous ses barons*. »
Roland répond : « Ne plaise à Notre Seigneur
que mes parents, par ma faute, soient blâmés [1]
et que la douce France soit déshonorée !
Mais je frapperai tant et plus de Durendal,
ma bonne épée que j'ai ceinte au côté.
Vous en verrez la lame tout ensanglantée.
Les païens* félons* ont eu tort de se rassembler :
je vous le jure, tous sont livrés à la mort.

85

– Roland mon compagnon, sonnez votre olifant* :
Charles l'entendra, lui qui passe les cols.
Je vous le jure, oui, les Francs reviendront.
– Ne plaise à Dieu, lui répond Roland,
qu'il soit jamais dit par personne au monde
que pour un païen* je sonne du cor !
Jamais on ne le reprochera à mes parents !
Quand je serai au fort de [2] la bataille

---

1. ***Soient blâmés*** : encourent des reproches.
2. ***Au fort de*** : au cœur de.

et que je frapperai des coups par milliers,
de Durendal vous verrez l'acier sanglant.
Les Français sont braves, ils frapperont en vrais vassaux* ;
jamais ceux d'Espagne n'éviteront la mort. »

86

Olivier dit : « À cela [1] je ne vois aucun blâme.
Moi, j'ai vu les Sarrasins* d'Espagne :
les vallées et les montagnes en sont couvertes,
et les collines et toutes les plaines.
Grandes sont les armées de ce peuple étranger,
et nous n'avons qu'une bien petite troupe. »
Roland répond : « Mon ardeur en redouble.
Ne plaise à Dieu ni à ses anges
que jamais, par ma faute, la France perde son honneur !
Je préfère mourir que subir la honte.
C'est pour nos coups que l'empereur nous aime. »

87

Roland est vaillant* et Olivier est sage :
tous deux sont de merveilleux vassaux*.
Une fois sur leurs chevaux et en armes,
jamais, dussent-ils mourir, ils n'esquiveront [2] la bataille.
Les comtes sont braves et leurs paroles fières.
Les païens* félons*, furieusement [3], chevauchent.
Olivier dit : « Roland, en voici quelques-uns !
Ceux-ci sont près de nous, mais Charles est trop loin.
Votre olifant*, vous n'avez pas daigné le sonner.

---

1. ***À cela*** : à sonner l'olifant.
2. ***Esquiveront*** : se déroberont à.
3. ***Furieusement*** : avec grand emportement.

Le roi présent, nous n'aurions pas de pertes.
Regardez là-haut, vers les cols d'Espagne.
Vous pouvez le voir : l'arrière-garde est à plaindre.
Qui en est aujourd'hui, ne sera d'aucune autre. »
Roland répond : « Ne dites pas ces folies !
Maudit le cœur qui dans la poitrine prend peur !
Nous tiendrons ferme ici sur place :
nous porterons les coups et ferons la mêlée[1]. »

88

Quand Roland voit qu'il y aura bataille,
il devient plus féroce que lion ou léopard.
Il appelle les Français et dit à Olivier :
« Seigneur, mon compagnon, mon ami, ne parlez plus ainsi !
L'empereur, qui nous a laissé les Français,
en a choisi vingt mille qui sont tels
à son avis que pas un n'est un lâche.
Pour son seigneur on doit subir de grands maux,
endurer de grands froids et de fortes chaleurs,
on doit perdre de son sang et de sa chair.
Frappe de ta lance et moi de Durendal,
ma bonne épée que le roi me donna.
Si je meurs, celui qui l'aura pourra dire
que ce fut l'épée d'un noble vassal*. »

89

D'un autre côté se trouve l'archevêque[2] Turpin.
Il éperonne* son cheval et monte une colline.

---

1. ***Mêlée*** : ensemble confus de combattants au corps-à-corps. « Nous ferons la mêlée » signifie « nous combattrons ».
2. ***Archevêque*** : religieux de haut rang.

Il s'adresse aux Français et leur tient un sermon :
« Seigneurs barons*, Charles nous a laissés ici.
Pour notre roi nous devons bien mourir.
Aidez-le à défendre la chrétienté !
Vous aurez à vous battre, vous en êtes sûrs et certains,
car de vos yeux vous voyez les Sarrasins*.
Battez votre coulpe*, demandez pardon à Dieu !
Je vous absoudrai [1] pour sauver vos âmes.
Si vous mourez, vous serez de saints martyrs [2],
vous aurez des sièges au plus haut paradis. »
Les Français mettent pied à terre et se prosternent,
et l'archevêque, au nom de Dieu, les bénit ;
comme pénitence [3], il leur ordonne de frapper.

90

Les Français se relèvent et se mettent sur pied.
Les voici absous de tous leurs péchés.
Et l'archevêque, au nom de Dieu, a fait sur eux le signe de
[la croix.]
Puis ils sont montés sur leurs rapides destriers*.
Ils sont armés comme de vrais chevaliers
et tout équipés pour la bataille.
Le comte Roland appelle Olivier :
« Seigneur mon compagnon, vous le saviez fort bien,
Ganelon nous a tous trahis :
il en a reçu de l'or, des biens et des deniers*.

---

1. ***Absoudrai*** : pardonnerai vos péchés, donnerai l'absolution.
2. ***Martyrs*** : individus morts en défendant leur religion.
3. ***Pénitence*** : peine infligée par le prêtre et destinée à obtenir le pardon, à expier les fautes ; ici la pénitence consiste à combattre les Sarrasins.

L'empereur devrait bien nous venger.
Le roi Marsile de nous a passé marché,
mais à coups d'épées il lui faudra payer. »

V. Premiers affrontements entre Francs et Sarrasins

(laisses 91 à 111)

91

Aux cols d'Espagne Roland est passé
sur Veillantif, son bon cheval rapide.
Il porte ses armes, qui lui vont très bien,
et le baron* de brandir[1] son épieu*
et d'en tourner le fer contre le ciel.
À la pointe est fixé un gonfanon* tout blanc,
dont les franges battent jusqu'à ses mains.
Il a le corps bien fait, le visage clair et riant.
Son compagnon vient à sa suite,
et ceux de France le proclament leur protecteur.
Pour les Sarrasins* son regard est farouche*
et, pour les Français, humble et tendre.
Il leur a parlé avec beaucoup d'égards :
« Seigneurs barons*, allez doucement au pas !
Ces païens* cherchent à se faire massacrer.

---

1. ***Brandir*** : pointer vers le ciel.

Aujourd'hui, nous aurons un grand et riche butin :
nul roi de France n'en eut jamais de cette valeur. »
Sur ces paroles, les armées en viennent aux prises.

92

Olivier dit : « Je n'ai pas le cœur à parler.
Votre olifant*, vous n'avez pas daigné le sonner,
et Charles vous fait bel et bien défaut[1].
Il n'en sait rien, il n'est pas coupable, le preux*.
Ceux qui sont là ne méritent aucun blâme[2].
Chevauchez donc du mieux que vous pouvez !
Seigneurs barons*, tenez bon sur le champ* !
Par Dieu, je vous en prie, soyez bien attentifs
à frapper fort, à rendre coup pour coup !
Le cri de guerre de Charles, nous ne devons pas l'oublier. »
À ces mots, les Français ont poussé le cri.
À les entendre clamer « Monjoie[3] »,
on aurait pu se rappeler ce qu'est la vaillance*.
Puis ils chevauchent, Dieu ! si farouches*,
piquant des éperons* pour aller au plus vite,
et s'en vont frapper : que feraient-ils d'autre ?
Les Sarrasins* ne les ont pas craints.
Francs et païens*, les voici aux prises !

93

Le neveu de Marsile, qui se nomme Aelroth,
chevauche le tout premier devant l'armée.
À nos Français il lance des injures :

1. ***Vous fait* [...] *défaut*** : ici, vous manque.
2. ***Blâme*** : reproche.
3. ***Monjoie*** : cri de guerre de Charlemagne.

« Félons* de Français, aujourd'hui vous vous battrez avec [les nôtres.]
Il vous a trahis, celui qui devait vous garder.
Fou est le roi qui vous laissa aux cols.
En ce jour, la douce France perdra sa gloire
et Charlemagne le bras droit de son corps. »
Quand Roland l'entend, Dieu ! quelle est sa douleur !
Il éperonne* son cheval, le laisse courir à toute bride[1],
et le comte va frapper l'autre de toutes ses forces.
Il brise son bouclier, déchire sa cuirasse*,
il lui ouvre la poitrine, lui rompt les os
et lui fend en deux toute l'échine[2] ;
de son épieu* il lui arrache l'âme ;
il enfonce le fer et fait chanceler[3] son corps ;
de la longueur de sa lance il l'abat mort de son cheval ;
en deux moitiés il lui a brisé le cou.
Il ne manquera pas, dit-il, de lui parler :
« Fieffé* coquin, Charles n'est pas fou,
et jamais il n'a toléré la trahison.
Il agit en brave en nous laissant aux cols.
Aujourd'hui, la douce France ne perdra pas sa gloire.
Frappez, Français ; le premier coup est pour nous !
Nous avons pour nous le droit, et ces canailles ont tort. »

94

Il y a là un duc, nommé Falsaron.
C'était le frère du roi Marsile ;

1. ***À toute bride*** : en lâchant la bride, sans retenir le cheval, par conséquent à vive allure.
2. ***Échine*** : colonne vertébrale.
3. ***Chanceler*** : perdre l'équilibre.

il tenait la terre de Dathan et d'Abiron[1].
Sous le ciel il n'est traître plus endurci.
Entre les deux yeux il avait le front si large
qu'on pouvait y mesurer un bon demi-pied*.
La douleur l'accable, à voir son neveu mort.
Il sort de la foule, s'expose aux coups
et pousse le cri de guerre des païens*.
Envers les Français il est fort insolent :
« Aujourd'hui, la douce France perdra son honneur. »
À l'entendre, Olivier devient furieux.
Il pique son cheval de ses éperons* dorés
et va le frapper en vrai baron*.
Il brise son bouclier et fend sa cuirasse* ;
dans le corps il lui enfonce les pans[2] du gonfanon*,
de la longueur de sa lance il l'abat des arçons*, mort.
Il regarde à terre et voit étendue la canaille ;
il l'a vivement apostrophée[3] :
« De vos menaces, misérable, je me moque.
Frappez, Français, car notre victoire sera complète ! »
Il crie « Monjoie » : c'est le cri de guerre de Charles.

95

Il y a là un roi, nommé Corsablis.
C'est un Berbère[4] d'un pays lointain.
Il a appelé les autres Sarrasins* :

1. ***Dathan*** et ***Abiron*** : deux personnages de l'Ancien Testament qui se révoltèrent contre Moïse et furent précipités en enfer (Nombres, 16, 1-34).
2. ***Pans*** : côtés.
3. ***Il l'a*** **[...]** ***apostrophée*** : il lui a adressé la parole brusquement et sans politesse.
4. ***Berbère*** : qui appartient aux peuples d'Afrique du Nord.

« Cette bataille, nous pouvons la soutenir,
Car les Français sont en très petit nombre.
Ceux qui sont là méritent notre mépris.
Malgré Charles, pas un seul ne sera sauvé :
voici le jour où il leur faudra mourir. »
L'archevêque Turpin l'a bien entendu :
sous le ciel il n'est homme qu'il haïsse davantage.
Il pique son cheval de ses éperons* d'or pur,
et vigoureusement il est allé le frapper.
Il lui brise le bouclier et lui défait la cuirasse* ;
il lui met au travers du corps son grand épieu* ;
il enfonce le fer et le fait chanceler ;
de la longueur de sa lance il l'abat mort sur le chemin.
Il regarde en arrière et voit étendue la canaille.
Il ne manquera pas de lui parler, dit-il :
« Misérable païen*, vous en avez menti.
Charles, mon seigneur, est toujours notre protecteur.
Nos Français n'ont pas envie de fuir.
Vos compagnons, nous les arrêterons tout net.
Je vous apprends une nouvelle : il vous faudra souffrir la [mort.]
Frappez, Français ! Qu'aucun de vous ne faiblisse !
Ce premier coup est à nous, Dieu merci ! »
Il crie « Monjoie » pour garder le camp.

[Les duels se poursuivent entre pairs* de France et pairs* Sarrasins* : parmi ces derniers, seuls Margarit et Chernuble échappent à la mort.]

104

La bataille fait rage et devient générale.
Le comte Roland ne fuit pas le danger.
Il frappe de l'épieu* tant que résiste la hampe* ;
après quinze coups il l'a brisée et détruite.
Il dégaine Durendal, sa bonne épée,
il éperonne* son cheval et va frapper Chernuble,
il lui brise le casque où brillent des escarboucles[1],
lui tranche la tête et la chevelure,
lui tranche les yeux et le visage,
et la cuirasse* blanche aux fines mailles,
et tout le corps jusqu'à l'enfourchure.
À travers la selle plaquée d'or,
l'épée atteint le corps du cheval,
lui tranche l'échine[2] sans chercher la jointure[3],
et il l'abat raide mort dans le pré sur l'herbe drue.
Puis il lui dit : « Canaille, pour votre malheur vous êtes venu [ici !]
De Mahomet vous n'aurez jamais d'aide.
Un truand comme vous ne gagnera pas aujourd'hui la [bataille. »]

105

Le comte Roland par le champ* chevauche,
il tient Durendal qui tranche et taille bien.
Des Sarrasins* il fait un affreux carnage.
Ah ! si vous l'aviez vu les jeter morts l'un sur l'autre,

---

1. ***Escarboucles*** : pierres précieuses rouge vif.
2. ***Échine*** : voir note 2, p. 50.
3. ***Jointure*** : articulation.

le sang clair répandu sur la place !
Il en a ensanglanté sa cuirasse* et ses bras,
et son bon cheval à l'encolure[1] et aux épaules.
Et Olivier, pour frapper, n'est pas en retard,
les douze pairs* ne méritent aucun reproche
et les Français frappent à coups redoublés.
Les païens* meurent, d'autres se pâment[2].
L'archevêque s'écrie : « Bénis soient nos barons* ! »
Il crie « Monjoie », c'est le cri de guerre de Charles.

106

Et Olivier chevauche parmi la mêlée ;
de sa lance brisée, il n'a plus qu'un tronçon.
Il va frapper un païen*, Malsaron,
lui brise son bouclier couvert d'or et de fleurs,
lui fait de la tête sauter les deux yeux
et la cervelle lui tombe jusqu'aux pieds.
Il l'abat mort avec sept cents des leurs.
Puis il a tué Turgis et Esturgot.
Sa lance se brise et se fend jusqu'aux poings.
Roland lui dit : « Compagnon, que faites-vous ?
Dans une telle bataille, je ne veux pas d'un bâton ;
le fer et l'acier doivent prévaloir.
Où est donc votre épée qui se nomme Hauteclaire ?
La poignée en est d'or, le pommeau de cristal.
– Je n'ai pu la tirer, lui répond Olivier,
car, à frapper, j'avais tant de besogne ! »

---

1. ***Encolure*** : cou du cheval.
2. ***Se pâment*** : s'évanouissent.

107

Sire Olivier a tiré sa bonne épée
que son compagnon Roland lui a tant demandée,
et il l'a brandie en vrai chevalier.
Il frappe un païen*, Justin de Valferrée,
il lui partage en deux toute la tête,
il lui tranche le corps et la brogne* safrée[1],
la bonne selle aux gemmes[2] serties dans l'or,
et du cheval il a tranché l'échine.
Il les abat morts devant lui dans le pré.
Roland lui dit : « Je vous reconnais, frère.
Pour de tels coups l'empereur nous aime. »
De toutes parts, on a crié « Monjoie ». [...]

109

La bataille, entre-temps, est devenue plus dure.
Francs et païens* échangent de merveilleux coups.
Les uns frappent, les autres se défendent.
Que de hampes* brisées et ensanglantées !
Que de gonfanons* et d'enseignes* déchirés !
Que de vaillants* Français y perdent leur jeunesse !
Ils ne reverront pas leurs mères ni leurs femmes,
ni ceux de France qui aux cols les attendent.
Charlemagne en pleure et se lamente.
À quoi bon ? Ils n'en auront pas de secours.
Ganelon l'a bien mal servi le jour
où, à Saragosse, il alla vendre les siens.
Il en perdit ensuite et la vie et les membres ;

---

1. ***Safrée*** : voir note 2, p. 42.
2. ***Gemmes*** : pierres précieuses.

au procès d'Aix[1], il fut condamné à être pendu,
et avec lui trente de ses parents
qui ne s'attendaient pas à mourir.

110

La bataille est merveilleuse et pénible.
Olivier et Roland frappent à tour de bras,
l'archevêque rend plus de mille coups,
les douze pairs* ne perdent pas leur temps,
et les Français frappent tous ensemble.
Les païens* meurent par centaines et milliers :
qui ne fuit pas[2], contre la mort n'a pas de recours ;
bon gré mal gré[3], il y laisse sa vie.
Les Français perdent leurs meilleurs défenseurs ;
ils ne reverront pas leurs pères ni leurs parents,
ni Charlemagne qui aux cols les attend.
En France se déchaîne une prodigieuse tourmente,
des orages de tonnerre et de vent,
de pluie et de grêle, hors de toute mesure ;
la foudre tombe à coups redoublés
dans le fracas d'un tremblement de terre :
de Saint-Michel-du-Péril[4] jusqu'à Xanten[5],
de Besançon[6] jusqu'au port de Wissant[7],
il n'est pas de maison dont un mur ne se fende.
En plein midi règnent de sombres ténèbres :

---

1. Voir laisses 270 et suivantes.
2. ***Qui ne fuit pas*** : celui qui ne fuit pas.
3. ***Bon gré mal gré*** : qu'il le veuille ou non.
4. ***Saint-Michel-du-Péril*** : il s'agit sans doute du Mont-Saint-Michel.
5. ***Xanten*** : ville d'Alsace.
6. ***Besançon*** : ville du Jura.
7. ***Wissant*** : port de la Manche, dans le nord de la France.

il n’y a de clarté que si le ciel se fend.
Personne ne le voit sans être épouvanté.
Plusieurs disent : « C’est la consommation des siècles,
la fin du monde à quoi nous assistons. »
Ils ne savent pas, ils ne disent rien de vrai :
c’est le grand deuil pour la mort de Roland.

111

Les Français ont frappé avec cœur et force.
Les païens* sont morts par milliers, en masse :
de cent milliers il n’est pas deux survivants.
L’archevêque dit : « Nos hommes sont très braves ;
sous le ciel il n’est personne qui en ait de meilleurs.
Il est écrit dans l’Histoire des Francs
que notre empereur eut de bons vassaux*. »
Ils vont par le champ* et recherchent les leurs.
Ils versent des larmes de douleur et de tendresse
sur leurs parents, du fond du cœur, avec amour.
Le roi Marsile, avec sa grande armée, surgit contre eux.

VI. Marsile arrive en renfort des siens

(laisses 112 à 128)

112

Marsile vient le long d'une vallée
avec la grande armée qu'il avait assemblée.
Le roi a compté vingt compagnies [1],
dont brillent les casques aux pierres serties [2] dans l'or,
et les boucliers et les brognes* safranées [3].
Sept mille clairons sonnent la charge :
grand est le bruit par toute la contrée.
Roland dit : « Olivier, compagnon, frère,
Ganelon le félon* a juré notre mort.
La trahison ne peut être cachée :
L'empereur en prendra une terrible vengeance.
Nous aurons une rude et dure bataille.

---

1. ***Compagnies*** : troupes ; unités de chevaliers placées chacune sous un commandement.
2. ***Serties*** : voir note 1, p. 42.
3. ***Safranées*** : de couleur ocre jaune (formé sur « safran », plante aromatique à fleurs jaune orangé, utilisée comme colorant).

Jamais personne ne vit tel affrontement.
Je frapperai de Durendal mon épée,
et vous, compagnon, frapperez de Hauteclaire.
En tant de terres nous les avons portées !
Tant de batailles nous avons par elles gagnées !
L'on ne doit pas sur elles chanter de mauvaise chanson. » [...]

115

Les Français voient qu'il y a tant de païens* ;
de toutes parts les champs en sont couverts.
Souvent ils appellent Olivier et Roland
et les douze pairs*, pour qu'ils les protègent.
Et l'archevêque leur dit son sentiment :
« Seigneurs barons*, n'ayez pas de viles* pensées !
Par Dieu je vous prie de ne pas fuir,
afin qu'aucun homme de bien [1] ne fasse sur vous de
[mauvaise chanson.]
Il vaut bien mieux que nous mourions en combattant.
Il nous est promis une fin prochaine :
au-delà de ce jour, nous ne serons plus vivants.
Mais d'une chose je puis vous assurer :
le saint Paradis vous est grand ouvert ;
avec les Innocents [2] vous y siégerez. »
Ces mots réconfortent les Francs si bien
qu'il n'en est aucun qui ne crie « Monjoie ».

---

1. ***Homme de bien*** : ici, honnête homme.
2. Allusion au massacre des Innocents perpétré sur ordre d'Hérode, roi des juifs à l'époque de la naissance du Christ. Hérode, craignant pour son pouvoir, avait, à l'annonce de la venue du Messie, demandé la mise à mort de tous les nouveau-nés mâles.

[Après de nombreux exploits individuels, les chevaliers français subissent leurs premières pertes.]

120

D'Afrique voici venu un Africain :
c'est Malcroyant, le fils du roi Malcud.
Son équipement est tout incrusté d'or :
sous le ciel il brille plus que tous les autres.
Il monte le cheval qu'il appelle Saut-Perdu :
il n'est pas de bête qui l'égale à la course.
Il va frapper Anséis sur le bouclier :
il en tranche tout le vermeil* et l'azur[1] ;
de sa cuirasse* il a déchiré les pans
et dans le corps lui met et le fer et la hampe*.
Mort est le comte, son temps est fini.
Les Français disent : « Baron*, quel malheur pour toi ! »

121

Par le champ* s'en va Turpin l'archevêque.
Jamais tel tonsuré[2] ne chanta la messe
qui de sa personne eût fait tant d'exploits.
Il dit au païen* : « Que Dieu t'envoie tous les maux !
Tu as tué un homme que mon cœur regrette. »
Il a lancé son bon cheval
et frappé le païen* sur le bouclier de Tolède[3]
si fort qu'il l'abat mort sur l'herbe verte.

---

1. ***Azur*** : bleu ciel.
2. ***Tonsuré*** : individu qui a reçu la tonsure, c'est-à-dire à qui l'on a coupé une mèche de cheveux au sommet de la tête lors d'une cérémonie religieuse pour signifier l'appartenance au clergé.
3. ***Tolède*** : ville située au centre de l'Espagne.

122

D'un autre côté voici un païen*, Grandoine,
fils de Capuel, le roi de Cappadoce[1].
Il monte le cheval qu'il appelle Marmoire,
plus rapide que n'est l'oiseau qui vole.
Il lâche la rêne, le pique des éperons*
et va frapper Gérin de toute sa force.
Il lui brise l'écu* vermeil* qu'il lui arrache du cou ;
puis il lui a entaillé la cuirasse*
et dans le corps lui plante toute son enseigne* bleue,
si bien qu'il l'abat mort sur une haute roche.
Il tue encore son compagnon Gérier
et Bérenger et Gui de Saint-Antoine ;
puis il va frapper un puissant duc, Austorge,
qui tenait Valence et Envers sur le Rhône.
Il l'abat mort, les païens* s'en réjouissent.
Les Français disent : « Quel déclin pour les nôtres ! »

123

Le comte Roland tient son épée sanglante.
Il a bien entendu les plaintes des Français.
De douleur il pense que son cœur va se fendre.
Il dit au païen* : « Que Dieu t'accable de maux !
Tu as tué quelqu'un que je compte te faire payer très cher. »
Il éperonne* son cheval, impatient de courir.
Lequel le paiera ? Ils en sont venus aux prises.

---

1. ***Cappadoce*** : ancien pays d'Asie Mineure appartenant aujourd'hui à la Turquie.

124

Grandoine était un chevalier accompli
et vigoureux, un vassal* brave au combat.
Sur sa route il a rencontré Roland.
Sans l'avoir jamais vu, il l'a sans faute reconnu
à son visage farouche*, à l'élégance de son corps,
à son regard et à son allure.
Il ne peut s'empêcher d'en être épouvanté.
Il veut s'enfuir, mais c'est en vain :
le comte le frappe si vigoureusement
que jusqu'au nasal* il lui fend tout le casque,
lui tranche le nez et la bouche et les dents,
et tout le corps et la cuirasse* d'Alger,
et la selle dorée et ses pommeaux d'argent,
et l'échine[1] du cheval profondément.
Il les tue tous les deux sans aucun recours.
Et ceux d'Espagne en clament tous leur douleur.
Les Français disent : « Il frappe bien, notre protecteur ! »

125

La bataille est prodigieuse et gigantesque.
Les Français y frappent des épieux* brunis.
Vous auriez pu voir d'extraordinaires souffrances,
et tant d'hommes morts, blessés, ensanglantés,
gisant l'un sur l'autre, sur le dos ou face contre terre !
Les Sarrasins* ne peuvent en supporter davantage :
bon gré mal gré, ils abandonnent le champ*.
De vive force les Francs les prirent en chasse.

1. ***Échine*** : voir note 2, p. 50.

126

La bataille est prodigieuse et acharnée.
Les Français y frappent avec violence et fureur.
Ils tranchent les poings, les flancs, les échines
et les vêtements jusqu'aux chairs vives.
Sur l'herbe verte le sang clair ruisselle.
(Les païens* disent : « Nous ne pouvons tenir !
Terre des Aïeux, que Mahomet te maudisse !
Plus que tous les autres peuples, le tien est hardi. »
Il n'en est aucun qui ne crie : « Marsile !
Chevauche, roi ! Nous avons besoin d'aide. »)

127

Le comte Roland appelle Olivier :
« Seigneur compagnon, convenez-en,
l'archevêque est très bon chevalier.
Il n'en est de meilleur sur terre ni sous le ciel ;
il sait bien frapper de la lance et de l'épieu*. »
Le comte répond : « Allons donc l'aider ! »
À ces mots, les Francs ont repris le combat.
Durs sont les coups et rude la mêlée.
Quelle détresse parmi les chrétiens !
Si vous aviez vu Roland et Olivier
de leurs épées frapper et tailler en pièces !
L'archevêque y frappe de son épieu*.
Ceux qu'ils ont tués, on peut en fixer le nombre,
qui est écrit dans les chartes* et les documents,
selon la Geste*, à plus de quatre mille.
Aux quatre premiers assauts, les Francs l'ont emporté ;
le cinquième fut pour eux pénible et rude.
Ils sont tous tués, les chevaliers français,

sauf soixante que Dieu a épargnés :
avant qu'ils ne meurent, ils se vendront très cher [1].

128

Le comte Roland voit le massacre des siens.
Il appelle son compagnon Olivier :
« Bon Seigneur, cher compagnon, par Dieu, qu'en [pensez-vous ?]
Que de bons vassaux* vous voyez étendus à terre !
Nous pouvons plaindre la douce France, la belle :
comme elle reste maintenant dégarnie de tels barons* !
Ah ! roi, ami, que n'êtes-vous ici !
Olivier, frère, comment pourrons-nous faire ?
De quelle manière lui enverrons-nous des nouvelles ? »
Olivier dit : « Je ne sais comment l'appeler.
J'aime mieux mourir que nous en encourions de la honte. »

---

1. ***Ils se vendront très cher*** : ils vendront très cher leur vie, c'est-à-dire ne subiront la mort qu'après avoir beaucoup combattu.

VII. Roland sonne du cor

(laisses 129 à 139)

129

Roland dit : « Je sonnerai l'olifant*,
et Charles l'entendra, qui passe les cols.
Je vous le jure, les Français reviendront. »
Olivier dit : « Le déshonneur serait grand
et l'opprobre[1] pour tous nos parents ;
cette honte durerait toute leur vie.
Quand je vous l'ai dit, vous n'en avez rien fait ;
vous ne le ferez pas maintenant avec mon accord.
Si vous sonnez du cor, ce ne sera pas d'un brave :
vous avez déjà les deux bras sanglants ! »
Le comte répond : « Des coups, j'en ai donné de bien
[beaux ! »]

130

Roland lui dit : « Rude est notre bataille !
Je sonnerai du cor, et le roi Charles l'entendra. »

---

1. ***Opprobre*** : honte.

© Roger-Viollet

■ Roland, qui voit son armée en difficulté, sonne de l'olifant (au premier plan, à droite).
Miniature des « Chroniques et conquêtes de Charlemagne », XVe siècle.

Olivier dit : « Ce ne serait pas d'un bon vassal* !
Quand je vous l'ai dit, compagnon, vous l'avez dédaigné.
Le roi présent, nous n'aurions pas eu de perte.
Ceux qui sont là-bas ne méritent aucun blâme. »
Olivier dit : « Par ma barbe que voici,
si je puis revoir ma noble sœur Aude,
vous ne coucherez jamais entre ses bras [1]. »

131

Roland lui dit : « Pourquoi vous emporter contre moi ? »
Olivier de répondre : « Compagnon, vous l'avez mérité,
car vaillance* sensée n'est pas folie.
Mieux vaut mesure [2] que témérité [3].
Les Francs sont morts par votre légèreté.
Jamais plus nous ne servirons Charles.
Si vous m'aviez cru, mon seigneur serait revenu,
et cette bataille, nous l'aurions remportée ;
le roi Marsile aurait été pris ou tué.
Votre prouesse [4], nous l'avons vue, Roland, pour [notre malheur !]
Charlemagne ne recevra plus notre aide.
Jamais il n'existera un tel homme jusqu'au Jugement [dernier [5].]
Vous allez mourir, et la France en sera déshonorée.
Aujourd'hui s'achève notre loyale amitié :
avant ce soir, avec douleur nous nous séparerons. »

---

1. Voir laisse 268.
2. ***Mesure*** : retenue, précaution.
3. ***Témérité*** : imprudence.
4. ***Prouesse*** : exploit.
5. ***Jugement dernier*** : dans la religion chrétienne, jugement que le Christ réservera aux vivants et aux morts ressuscités quand viendra la fin du monde.

132

L'archevêque les entend se quereller,
Il pique son cheval de ses éperons* d'or pur,
vient jusqu'à eux et se met à les reprendre :
« Sire Roland et vous, sire Olivier,
par Dieu je vous en prie, ne vous querellez pas !
Sonner du cor ne nous serait plus utile,
mais cependant c'est la meilleure solution :
vienne le roi, il pourra nous venger.
Ceux d'Espagne ne doivent pas s'en retourner joyeux.
Nos Français ici descendront de cheval ;
ils nous trouveront morts et taillés en pièces,
ils nous mettront en bière [1] sur des bêtes de somme*
et nous pleureront de douleur et de pitié ;
ils nous enterreront en des cimetières d'église :
ni loups ni porcs ni chiens ne nous mangeront. »
Roland a dit : « Seigneur, c'est bien parlé. »

133

Roland a mis l'olifant* à ses lèvres,
il l'embouche [2] bien et à plein souffle sonne.
Hauts sont les monts et long le son du cor,
à trente grandes lieues* on l'entendit résonner.
Charles l'entendit, ainsi que toutes ses troupes.
Le roi dit : « Nos hommes livrent bataille. »
Et Ganelon le contredit :
« Si un autre le disait, on le prendrait pour un grand
[mensonge. »]

---

1. ***Mettront en bière*** : mettront dans un cercueil.
2. ***L'embouche*** : le met à sa bouche.

134

Le comte Roland, à pénibles et rudes efforts,
à grande douleur sonne son olifant*.
Par la bouche jaillit le sang clair,
de son cerveau la tempe se rompt.
Du cor qu'il tient le son porte au loin :
Charles l'entend, qui passe les cols.
Naimes [1] le perçoit, les Français l'écoutent.
Le roi dit : « J'entends le cor de Roland.
Il ne le sonnerait pas, s'il ne livrait bataille. »
Ganelon répond : « Il n'a pas de bataille.
Oui, vous êtes vieux et votre tête est blanche ;
par de tels propos vous ressemblez à un enfant.
Vous connaissez bien le grand orgueil de Roland.
Il est étonnant que Dieu le supporte tant.
Déjà il a pris Noples [2] sans que vous l'ordonniez.
Les Sarrasins* de la ville sortirent
ct combattirent le bon vassal* Roland,
qui avec les eaux lava les prés du sang
afin qu'il n'en restât pas de trace.
Pour un seul lièvre il sonne tout un jour du cor.
Devant ses pairs*, à cette heure il s'amuse.
Sous le ciel il n'est personne qui ose le provoquer.
Chevauchez donc ! Pourquoi vous arrêter ?
La Terre des Aïeux est encore loin devant nous. »

1. Naimes est l'un des ducs qui chevauchent aux côtés de Charlemagne (voir laisse 67).
2. ***Noples*** : il s'agit de l'un des nombreux noms fabuleux données aux villes conquises par Charles en Espagne.

135

Le comte Roland a la bouche en sang.
De son cerveau la tempe est rompue.
Il sonne l'olifant* avec douleur et peine.
Charles l'entend et les Français l'écoutent.
Le roi dit : « Ce cor a longue haleine ! »
Le duc Naimes répond : « Un baron* y met toute sa peine.
Il livre bataille, c'est ma conviction.
Celui-là l'a trahi qui vous demande de ne rien faire.
Armez-vous, lancez votre cri de guerre
et secourez votre noble maison.
Vous entendez bien que Roland se lamente. »

136

L'empereur a fait sonner ses cors.
Les Français mettent pied à terre et s'arment
de cuirasses*, de casques et d'épées ornées d'or.
Ils ont de beaux boucliers, des épieux* grands et forts
et des gonfanons* blancs, vermeils* et bleus.
Sur les destriers* montent tous les barons* de l'armée.
Ils piquent fort des éperons* tant que durent les cols.
Il n'en est pas qui ne dise à l'autre :
« Si nous voyions Roland avant qu'il ne fût mort,
avec lui nous donnerions de grands coups. »
Mais à quoi bon ? Ils ont en effet trop tardé.

137

C'était l'après-midi d'un jour éclatant.
Au soleil brillaient les armures,
les cuirasses* et les casques flamboyaient,
et les boucliers ornés de fleurs,

et les épieux*, et les gonfanons* dorés.
L'empereur chevauche furieusement[1],
et les Français chagrins et courroucés[2].
Il n'en est pas qui ne pleure amèrement,
pour Roland ils sont tout angoissés.
Le roi fait prendre le comte Ganelon
et le remet aux cuisiniers de sa maison.
Il appelle leur premier chef, Begon :
« Garde-le-moi bien comme le félon* qu'il est !
Tous mes proches, il les a trahis. »
Begon le saisit et le remet à cent garçons
de sa cuisine, des meilleurs et des pires.
Ils lui arrachent la barbe et la moustache,
chacun le frappe de quatre coups de poing,
ils le rossent[3] avec des gourdins et des bâtons
et lui mettent au cou un carcan*
et l'enchaînent à la manière d'un ours ;
sur une bête de somme* ils l'ont mis pour sa honte.
Ils le gardèrent jusqu'au moment de le rendre à Charles.

138

Hauts sont les monts et ténébreux et grands,
profondes les vallées et rapides les torrents.
Les clairons sonnent et derrière et devant,
et tous répondent à l'olifant*.
L'empereur chevauche furieusement
et les Français courroucés et chagrins.
Il n'en est pas qui ne pleure et ne se lamente,

---

1. ***Furieusement*** : voir note 3, p. 44.
2. ***Courroucés*** : en colère.
3. ***Rossent*** : frappent, cognent violemment.

et ils prient Dieu qu'il préserve Roland
jusqu'à ce qu'ils arrivent tous ensemble au champ
[de bataille.]
Avec lui, ils y frapperont pour de bon.
Mais à quoi bon ? C'est tout à fait inutile.
Ils tardent trop, ils ne peuvent y être à temps.

139

Furieusement chevauche Charlemagne.
Sur sa cuirasse* s'étale sa barbe blanche.
Tous les barons* de France éperonnent* avec vigueur.
Pas un qui ne se plaigne amèrement
de ne pas être avec Roland, le capitaine
qui livre combat aux Sarrasins* d'Espagne.
Il souffre, je ne crois pas que l'âme lui reste au corps.
Dieu ! quels héros, ses soixante compagnons !
Jamais roi ni capitaine n'en eut de meilleurs. [...]

VIII. Olivier et Turpin succombent sur le champ de bataille

(laisses 142 à 167)

142

Celui qui sait qu'on ne fera pas de prisonniers,
dans de telles batailles se défend jusqu'au bout.
Aussi les Francs sont-ils féroces comme des lions.
Voici Marsile qui vient en vrai baron*.
Il monte le cheval qu'il appelle Gaignon.
Il l'éperonne* bien et va frapper Bevon
qui était sire de Beaune et de Dijon.
Il brise son bouclier, déchire sa cuirasse*,
si bien qu'il l'abat mort sans lui faire d'autre mal.
Puis il a tué Yvoire et Yvon
et avec eux Girard de Roussillon.
Le comte Roland n'est pas bien loin de lui ;
il dit au païen* : « Que le Seigneur te maudisse !
Tu as bien tort de me tuer mes compagnons.
Tu en recevras un coup avant que nous nous séparions,
et de mon épée tu sauras aujourd'hui le nom. »

Il va le frapper en vrai baron*.
Le comte lui a tranché le poing droit,
puis il coupe la tête à Jurfaleu le Blond
– c'était le fils du roi Marsile.
Les païens* crient : « Aide-nous, Mahomet !
Vous nos dieux, vengez-nous de Charles !
Sur cette terre, il a introduit de tels félons*
que, dussent-ils mourir, ils ne quitteront pas le champ*. »
Ils se disent l'un à l'autre : « Enfuyons-nous donc ! »
À ces mots cent mille païens* s'en vont :
on a beau les rappeler, ils ne reviendront pas.

143

Mais à quoi bon ? Si Marsile s'est enfui,
son oncle est resté, le calife[1]
qui tient Carthage, Alferne, Garmalie[2]
et l'Éthiopie, une terre maudite.
Il a sous son autorité la race des Noirs ;
ils ont de grands nez et de larges oreilles ;
ils sont au total plus de cinquante mille.
Ils chevauchent farouches* et furieux,
puis lancent le cri de guerre des païens*.
Roland dit : « Ici nous recevrons le martyre[3].
Je sais bien maintenant que nous n'avons guère à vivre.
Mais maudit soit celui qui d'abord ne vendra cher sa vie !

---

1. ***Calife*** : voir note 5, p. 26.
2. ***Carthage***, ***Alferne***, ***Garmalie*** : Carthage, fondée par la légendaire reine Didon, se situe sur le territoire de l'actuelle Tunisie ; Alferne et Garmalie sont probablement des noms inventés par l'auteur.
3. ***Martyre*** : épreuve mortelle que les premiers chrétiens subirent pour défendre leur foi.

Frappez, seigneurs, des épées fourbies[1],
et défendez et vos morts et vos vies,
pour que la douce France ne soit pas par nous déshonorée !
Quand sur ce champ* viendra Charles, mon seigneur,
et qu'il verra un tel massacre des Sarrasins*
que, pour un des nôtres, il en trouvera quinze de morts,
il ne pourra que nous bénir. » [...]

145

Quand les païens* voient qu'il reste peu de Français,
ils en éprouvent entre eux orgueil et réconfort.
Ils se disent : « L'empereur a tort. »
Le calife montait un cheval fauve.
Il le pique fort des éperons* d'or,
frappe Olivier par-derrière, en plein dos.
Il lui a fendu sur le corps la blanche cuirasse*
et transpercé la poitrine de son épieu*.
Il lui dit alors : « Vous en avez pris un bon coup !
Charlemagne, pour votre malheur, vous a laissé aux cols.
Il nous a fait du tort, il n'est pas juste qu'il s'en loue,
Car rien que sur vous, j'ai bien vengé les nôtres. »

146

Olivier sent qu'il est frappé à mort.
Il tient Hauteclaire dont l'acier est bruni.
Il frappe Marganice sur son casque d'or pointu
et en abat fleurons et cristaux.
Il lui tranche le crâne jusqu'aux dents de devant,
retourne son coup et l'abat mort.

---

1. ***Fourbies*** : polies, brillantes.

Il dit ensuite : « Païen*, maudit sois-tu !
Je ne dis pas que Charles n'ait rien perdu.
Ni à ta femme ni à aucune dame
tu ne te vanteras, au royaume dont tu fus,
de m'avoir pris un denier* vaillant*,
ni d'avoir fait du tort à moi ou à autrui. »
Puis il crie à Roland qu'il vienne l'aider. [...]

148

Roland regarde Olivier au visage :
il est blême et livide, sans couleur et pâle.
Le sang lui coule tout clair sur le corps :
sur le sol en tombent les caillots [1].
« Dieu, dit le comte, je ne sais plus que faire.
Seigneur compagnon, votre vaillance* vous a été fatale !
Il n'y aura jamais personne qui vous vaille.
Ah ! douce France, comme aujourd'hui tu resteras
dégarnie de bons vassaux*, abattue et déchue !
L'empereur y perdra beaucoup. »
À ces mots il s'évanouit sur son cheval.

149

Voilà Roland évanoui sur son cheval,
et Olivier qui est blessé à mort.
Il a tant saigné que sa vue se trouble :
de loin ni de près il ne peut voir assez clair
pour qu'il puisse reconnaître aucun homme.
Son compagnon, quand il l'a rencontré,
il le frappe sur le casque aux gemmes [2] d'or

---

1. ***Caillots*** : petites masses de sang coagulé.
2. ***Gemmes*** : voir note 2, p. 55.

et le lui fend du sommet au nasal*,
mais il ne l'a pas touché à la tête.
Ainsi frappé, Roland l'a regardé ;
il lui demande avec une grande douceur :
« Seigneur compagnon, le faites-vous sciemment[1] ?
Oui, c'est moi Roland, qui vous aime tant.
D'aucune manière vous ne m'avez défié. »
Olivier dit : « Maintenant je vous entends parler.
Je ne vous vois pas : que Notre Seigneur, lui, vous voie !
Je vous ai frappé ? Pardonnez-le-moi ! »
Roland répond : « Non, je n'ai pas de mal.
Je vous le pardonne ici et devant Dieu. »
À ces mots, l'un vers l'autre, ils s'inclinent.
Pleins de cet amour, les voici séparés.

150

Olivier sent que la mort l'étreint[2].
Ses deux yeux dans sa tête se révulsent[3],
il n'entend plus, il ne voit plus rien.
Il descend de cheval et se couche par terre.
D'une voix très forte il confesse ses péchés,
tendant vers le ciel ses deux mains jointes.
Il prie Dieu qu'il lui donne le paradis
et qu'il bénisse Charles et la douce France
et son compagnon Roland plus que tous les hommes.
Le cœur lui manque, son casque retombe,

1. ***Sciemment*** : volontairement.
2. ***L'étreint*** : le prend, le serre.
3. ***Ses deux yeux* [...] *se révulsent*** : ses deux yeux se tournent de telle sorte qu'on n'en voit presque plus la pupille (sous l'effet de la douleur ou de la colère).

de tout son corps il s'écroule contre terre.
Le comte est mort, c'en est fini de lui.
Le vaillant* Roland le pleure et le regrette :
jamais sur terre vous n'entendrez homme plus affligé.

151

Maintenant Roland voit que son ami est mort :
il gît étendu, la face contre terre.
Tendrement il commence à le regretter :
« Seigneur compagnon, pour votre malheur vous fûtes si [hardi !]
Nous avons été ensemble des années et des jours :
tu ne me fis aucun mal, je ne te fis aucun tort.
Puisque tu es mort, il m'est douloureux de vivre. »
À ces mots, le marquis s'évanouit
sur son cheval qu'il appelle Veillantif.
Maintenu en selle par ses étriers d'or fin,
de quelque côté qu'il penche, il ne peut tomber.

152

Avant que Roland n'eût repris ses esprits,
et ne fût revenu de son évanouissement,
un terrible dommage lui est survenu :
les Français sont morts, il les a tous perdus,
hormis l'archevêque et Gautier de l'Hum
qui est redescendu des montagnes.
Contre ceux d'Espagne il a vaillamment* combattu.
Ses hommes sont morts, les païens* les ont vaincus.
Bon gré mal gré, il fuit vers les vallées ;
il appelle Roland pour qu'il l'aide :
« Ah ! noble comte, vaillant* guerrier, où es-tu ?

Jamais je n'ai eu peur là où tu étais.
C'est moi Gautier qui conquit Maëlgut,
le neveu de Droon, le vieux aux cheveux blancs.
Pour ma vaillance* j'étais ton ami.
Ma lance est brisée, mon bouclier troué,
ma cuirasse* démaillée et déchirée.
En plein corps j'ai reçu des coups de lance.
Je mourrai bientôt, mais j'ai vendu chèrement ma vie. »
À ces mots Roland l'a entendu ;
il éperonne* son cheval et fonce vers lui.

153

Roland est affligé et plein de colère.
Au fort de la mêlée, il commence à frapper,
De ceux d'Espagne il en abat morts vingt,
et Gautier six, et l'archevêque cinq.
Les païens* disent : « Quels traîtres que ces gens !
Veillez, seigneurs, à ce qu'ils n'en partent vivants.
Traître fieffé* celui qui ne va pas les attaquer,
et lâche qui les laissera s'échapper ! »
Ils recommencent alors huées et cris ;
de tous côtés, ils repartent à l'attaque.

154

Le comte Roland est un noble guerrier,
Gautier de l'Hum un très bon chevalier,
l'archevêque un homme de bien[1] éprouvé.
L'un ne veut en rien abandonner l'autre.

---

1. ***Homme de bien*** : ici, homme qui pratique le bien, la charité.

Au fort de la mêlée, ils frappent sur les païens*.
Mille Sarrasins* mettent pied à terre,
et à cheval ils sont bien quarante mille.
J'en suis certain, ils n'osent les approcher :
ils leur jettent des lances et des épieux*,
des piques, des dards*, des traits* et des javelots.
Aux premiers coups ils ont tué Gautier ;
de Turpin de Reims, ils ont troué le bouclier,
brisé le casque ; ils l'ont blessé à la tête ;
ils ont rompu et démaillé sa cuirasse*,
et l'ont blessé au corps de quatre épieux* ;
sous lui ils tuent son destrier*.
Quelle grande douleur quand l'archevêque tombe !

155

Turpin de Reims, quand il se sent abattu
et frappé au corps de quatre épieux*,
rapidement, le baron* se redresse ;
il regarde Roland, puis court vers lui
et lui dit simplement : « Je ne suis pas vaincu.
Jamais bon vassal*, tant qu'il vit, ne se rendra. »
Il tire Almace, son épée d'acier brun ;
au fort de la mêlée, il frappe mille coups et plus.
Charles dit plus tard qu'il n'en épargna aucun :
il en trouva autour de lui bien quatre cents,
les uns blessés, les autres transpercés,
d'autres enfin avaient la tête tranchée.
C'est ce que dit l'Histoire, et celui qui fut présent à la [bataille,]
le noble saint Gilles par qui Dieu fait des miracles,

et qui en fit la charte*[1] au monastère de Laon.
Si on l'ignore, on n'a rien compris à l'affaire.

156

Le comte Roland combat vaillamment*,
mais il sue de tout son corps brûlant
et, à la tête, ressent une atroce douleur :
il s'est rompu la tempe à sonner du cor.
Mais il veut savoir si Charles viendra :
il tire l'olifant* dont il sonne faiblement.
L'empereur s'arrête et il écoute :
« Seigneurs, dit-il, cela va très mal pour nous.
Roland mon neveu aujourd'hui nous quitte.
J'entends au son du cor qu'il ne vivra plus guère.
Pour être avec lui, il faut vite chevaucher.
Sonnez vos clairons, autant qu'il y en a en cette armée ! »
Soixante mille clairons sonnent si haut
que les monts retentissent et que leur répondent les vallées.
Les païens* l'entendent, ils ne songent pas à en rire ;
l'un dit à l'autre : « Charles bientôt sera sur nous. »

157

Les païens* disent : « L'empereur revient ;
de ceux de France entendez sonner les clairons.
Si Charles vient, parmi nous il y aura des pertes.
Si Roland vit, notre guerre recommence,
et nous avons perdu l'Espagne notre terre. »

---

1. Saint Gilles était ermite ; il donna son nom au monastère et à la ville de Saint-Gilles (près de Nîmes). L'auteur de *La Chanson de Roland*, pour assurer l'authenticité de son propre récit, imagine que, envoyé par Dieu, saint Gilles assiste à la bataille et en fait la narration.

Bien quatre cents se rassemblent, casqués,
de ceux qui se croient les meilleurs au combat.
À Roland ils livrent une rude et violente attaque.
Maintenant le comte, pour sa part, a fort à faire.

158

Le comte Roland, quand il les voit venir,
devient si fort, si farouche*, si ardent
qu'il ne fuira pas tant qu'il sera en vie.
Il monte le cheval qu'on appelle Veillantif,
il le pique fort des éperons* d'or pur,
au cœur de la mêlée il va tous les attaquer,
et avec lui l'archevêque Turpin.
L'un dit à l'autre : « Venez par ici, ami !
De ceux de France nous avons entendu les cors :
Charles revient, le puissant roi. »

159

Le comte Roland n'aima jamais les couards*,
ni les orgueilleux, ni les méchantes canailles,
ni les chevaliers qui ne fussent bons vassaux*.
Il appela l'archevêque Turpin :
« Vous êtes à pied, sire, et je suis à cheval :
pour l'amour de vous, ici je tiendrai bon ;
nous partagerons le meilleur et le pire,
je ne vous laisserai pour nul homme de chair.
Aujourd'hui nous rendrons aux païens* leur assaut.
Les meilleurs coups sont ceux de Durendal. »
L'archevêque dit : « Maudit qui ne frappera fort !
Charles revient, il nous vengera bien. »

160

Les païens* disent : « Nous sommes nés pour le malheur !
Quel funeste jour s'est levé pour nous !
Nous avons perdu nos seigneurs et nos pairs*.
Avec sa grande armée revient Charles le vaillant*.
De ceux de France nous entendons sonner les clairons.
Grand est leur bruit, à crier "Monjoie".
Le comte Roland est si farouche*
qu'il ne sera vaincu par aucun mortel.
Lançons contre lui nos traits*, puis laissons-le sur place. »
Ainsi firent-ils dans une pluie de dards*, de piques,
d'épieux*, de lances, de javelots empennés [1].
Ils ont brisé et troué le bouclier de Roland,
déchiré et démaillé sa cuirasse*,
mais dans sa chair ils ne l'ont pas atteint.
Veillantif, lui, ils l'ont blessé en trente endroits
sous le comte et laissé mort sur-le-champ.
Les païens* s'enfuient et le laissent sur place.
Le comte Roland est resté là, sans monture.

161

Les païens* s'enfuient, furieux et chagrins.
Vers l'Espagne ils tendent de toutes leurs forces.
Le comte Roland n'est pas en état de les poursuivre :
il a perdu Veillantif, son destrier* ;
bon gré mal gré, il est resté là, sans monture.
À l'archevêque Turpin il alla porter aide.
Il lui délaça son casque paré d'or
et lui enleva sa légère cuirasse* blanche ;

---

1. ***Empennés*** : garnis de plumes.

il déchira sa tunique tout entière
et dans ses grandes plaies en mit les morceaux ;
puis, contre sa poitrine, il l'a serré dans ses bras
et sur l'herbe verte doucement couché.
Très tendrement Roland lui fit cette prière :
« Ah ! noble seigneur, donnez-m'en donc la permission !
Nos compagnons, qui nous furent si chers,
les voici morts, nous ne devons pas les laisser.
Je veux aller les chercher, les reconnaître
et devant vous les ranger côte à côte. »
L'archevêque dit : « Allez et revenez !
Ce champ* est à vous, Dieu merci, à vous et à moi. »

[Après la fuite de ses ennemis, Roland rassemble les corps des pairs* de France afin que l'archevêque Turpin les bénisse. Puis, épuisé, il s'évanouit tandis que Turpin succombe à ses blessures.]

167

Le comte Roland voit l'archevêque à terre ;
hors de son corps il voit, gisant, ses entrailles,
et sous son front s'écoule sa cervelle.
Sur sa poitrine, au beau milieu,
il a croisé ses blanches mains, ses belles mains.
Roland prononce sa plainte, à la manière de son pays :
« Ah ! noble seigneur, chevalier de bonne race*,
aujourd'hui je te recommande au Dieu de gloire.
Jamais personne ne le servira de si bon cœur.
Depuis les apôtres, il n'y eut tel prophète
pour maintenir la foi et convertir les hommes.
Puisse votre âme n'être privée de rien !
Que la porte du Paradis lui soit ouverte ! »

IX. La mort de Roland

(laisses 168 à 176)

168

Roland sent que sa mort approche :
par ses oreilles se répand sa cervelle.
Pour ses pairs*, il prie Dieu de les appeler à lui ;
ensuite, pour lui, il prie l'ange Gabriel[1].
Il prend l'olifant*, pour écarter tout reproche,
et Durendal, son épée, en l'autre main.
Plus loin qu'une portée d'arbalète*,
il s'en va vers l'Espagne dans un guéret[2].
Il monte sur un tertre[3] ; sous deux beaux arbres,
il y avait quatre blocs faits de marbre.
Sur l'herbe verte il est tombé à la renverse.
Là il s'est évanoui, car sa mort approche.

---

1. ***Ange Gabriel*** : archange qui, selon saint Luc, est apparu à la Vierge Marie pour lui annoncer qu'elle porterait le Sauveur. Invoqué ici par les chrétiens, l'ange Gabriel est aussi, chez les musulmans, celui qui révèle à Mahomet qu'il sera prophète.

2. ***Guéret*** : terrain labouré.

3. ***Tertre*** : petit monticule de terre.

169

Hauts sont les monts et très hauts les arbres.
Il y a là quatre blocs de marbre brillants.
Sur l'herbe verte le comte Roland s'évanouit.
Un Sarrasin* longuement le regarde.
Il fait le mort, couché parmi les autres ;
de sang il a souillé son corps et son visage.
Il se redresse et se précipite.
Il était beau et fort et d'une grande bravoure.
En son orgueil il commet une folie fatale :
il se saisit de Roland, de son corps et de ses armes,
et dit seulement : « Le neveu de Charles est vaincu.
Cette épée, je l'emporterai en Arabie. »
Comme il tirait, le comte reprit un peu ses esprits.

170

Roland sent qu'il lui enlève son épée.
Il ouvrit les yeux et lui dit seulement :
« À mon avis, tu n'es pas des nôtres. »
Il tient l'olifant* qu'il n'a pas voulu lâcher
et le frappe sur le casque aux pierres serties dans l'or ;
il brise l'acier et le crâne et les os,
il lui fait sortir les deux yeux de la tête,
et à ses pieds il l'a abattu mort.
Alors il lui dit : « Canaille de païen*, comment as-tu osé
te saisir de moi, à tort ou à raison ?
Personne ne le saura sans te tenir pour fou.
J'en ai fendu mon olifant* par le bout,
le cristal et l'or en sont tombés. »

171

Roland sent qu'il a perdu la vue,
il se redresse et fait tous ses efforts.
Son visage a perdu sa couleur.
Devant lui il y a une roche grise.
Il y frappe dix coups, de chagrin et de dépit.
L'acier grince, mais il ne se brise ni ne s'ébrèche.
« Ah ! dit le comte, sainte Marie, aide-moi !
Ah ! Durendal, ma bonne épée, quel malheur pour vous !
Puisque je suis perdu, de vous je perds la charge.
Combien de batailles par vous j'ai remportées,
combien j'ai conquis de terres immenses,
que tient Charles, dont la barbe est chenue* !
Ne soyez pas à quelqu'un qui fuie devant un autre !
Un valeureux* vassal* vous a longtemps tenue ;
jamais il n'en sera de pareille à vous dans la sainte France. »

172

Roland frappe sur le bloc de sardoine[1].
L'acier grince, mais il ne se brise ni ne s'ébrèche.
Quand il voit qu'il ne peut la rompre,
en lui-même il commence à la plaindre :
« Ah ! Durendal, comme tu es belle, claire, éclatante !
Comme au soleil tu brilles et flamboies !
Charles était dans les vallées de Maurienne
quand Dieu, du ciel, lui fit savoir par son ange
qu'il te donnât à un comte capitaine :
alors il me la ceignit, le noble roi, le grand.
Avec toi je lui conquis l'Anjou et la Bretagne,

1. ***Sardoine*** : pierre très dure.

et lui conquis le Poitou et le Maine ;
avec toi je lui conquis la libre Normandie,
et lui conquis la Provence et l'Aquitaine
et la Lombardie et toute la Romagne[1] ;
avec toi je lui conquis la Bavière[2] et les Flandres[3]
et la Bourgogne et toute la Pologne,
Constantinople[4] dont il reçut l'hommage ;
et sur la Saxe[5] il règne en maître.
Avec toi je lui conquis l'Écosse et l'Irlande
et l'Angleterre qu'il appelait son domaine ;
avec toi je lui conquis tant et tant de pays
que tient Charles dont la barbe est blanche.
Pour cette épée j'éprouve douleur et peine.
Mieux vaut mourir que la laisser aux païens* !
Dieu ! Père, ne laissez pas déshonorer la France ! »

173

Roland frappe sur une pierre grise.
Il en abat plus que je ne sais vous dire.
L'épée grince, mais elle ne se rompt ni ne se brise.
Vers le ciel elle a rebondi.
Quand le comte voit qu'il ne la brisera pas,
tout doucement il la plaint en lui-même :
« Ah ! Durendal, comme tu es belle et très sainte !
Dans ton pommeau d'or, il y a bien des reliques*,

---

1. ***Lombardie*** et ***Romagne*** : deux régions d'Italie, la première située au nord-ouest et la seconde sur la côte est.
2. ***Bavière*** : région historique du sud de l'Allemagne.
3. ***Flandres*** : plaine qui borde la mer du Nord.
4. ***Constantinople*** : ancienne capitale de l'Empire byzantin (395-1453) ; aujourd'hui, Istanbul.
5. ***Saxe*** : région historique d'Allemagne.

une dent de saint Pierre et du sang de saint Basile
et des cheveux de monseigneur saint Denis[1],
et du vêtement de sainte Marie.
Il n'est pas juste que des païens* te possèdent :
c'est par des chrétiens que tu dois être servie.
Ne soyez pas à un homme capable de couardise* !
J'aurai par vous conquis tant de terres immenses
que tient Charles dont la barbe est fleurie !
Et l'empereur en est puissant et riche. »

174

Roland sent que la mort le prend tout entier
et que de sa tête elle descend vers son cœur.
Sous un pin il est allé en courant ;
sur l'herbe verte il s'est couché face contre terre.
Il met sous lui son épée et l'olifant*,
il tourne sa tête du côté du peuple païen* :
il l'a fait parce qu'il veut coûte que coûte
que Charles dise, ainsi que tous ses gens,
du noble comte, qu'il est mort en conquérant.
Il bat sa coulpe* à petits coups répétés
Pour ses péchés il tend à Dieu son gant.

175

Roland sent que son temps est fini.
Il est tourné vers l'Espagne sur un mont escarpé.

---

1. ***Saint Pierre***, ***saint Basile*** et ***saint Denis*** : trois saints très importants de la tradition chrétiennes : saint Pierre aurait été le premier évêque – le premier pape – de Rome et il est considéré comme le gardien des clés du Paradis ; saint Basile fut évêque en Orient au IVe siècle ; saint Denis fut évêque de Paris au IIIe siècle.

D'une main il s'est frappé la poitrine :
« Dieu, pardon, par toute ta puissance,
pour mes péchés, les grands et les menus[1],
que j'ai commis depuis l'heure que je suis né
jusqu'à ce jour où je suis terrassé ! »
Il a tendu vers Dieu son gant droit.
Des anges du ciel descendent jusqu'à lui.

176

Le comte Roland est étendu sous un pin.
Vers l'Espagne il a tourné son visage.
De bien des choses le souvenir lui revient,
de tant de terres que le baron* a conquises,
de la douce France, des hommes de son lignage*,
de Charlemagne, son seigneur, qui l'a formé.
Il ne peut s'empêcher de pleurer et de soupirer.
Mais il ne veut pas s'oublier lui-même.
Il bat sa coulpe* et demande pardon à Dieu :
« Père véritable qui jamais ne mentis,
toi qui ressuscitas saint Lazare[2]
et qui sauvas Daniel des lions[3],
sauve mon âme de tous les périls
pour les péchés qu'en ma vie j'ai commis ! »
Il a offert à Dieu son gant droit,
saint Gabriel[4] de sa main l'a pris.
Sur son bras il tenait sa tête inclinée ;

---

1. ***Menus*** : petits.
2. ***Saint Lazare*** : frère de Marthe et de Marie de Béthanie, ressuscité par Jésus (Évangile de Jean, 11).
3. Voir note 1, p. 103.
4. ***Saint Gabriel*** : voir note 1, p. 85.

© Roger-Viollet

■ La mort de Roland à Roncevaux. Miniature (s.d.).

les mains jointes, il est allé à sa fin.
Dieu envoya son ange Chérubin
et saint Michel du Péril ;
et avec eux vint saint Gabriel.
Ils emportent l'âme du comte en paradis.

X. Le retour de Charlemagne à Roncevaux

(laisses 177 à 188)

[Charlemagne arrive à Roncevaux et constate le massacre. Il poursuit les Sarrasins* et reçoit l'aide de Dieu, qui arrête la course du soleil afin qu'il puisse les rattraper. Après avoir tué ses ennemis, il retourne à Roncevaux où il s'endort et rêve d'une bataille à venir.]

187

Le roi Marsile s'enfuit à Saragosse.
Sous un olivier il a mis pied à terre, à l'ombre.
Il rend son épée, son casque et sa cuirasse*.
Sur l'herbe verte, misérablement il se couche.
Il a perdu sa main droite, tout entière ;
pour le sang qu'il perd, il s'évanouit et s'angoisse.
Devant lui, sa femme, Bramimonde,
pleure et crie et s'afflige,
et avec elle plus de vingt mille hommes.
Ils maudissent Charles et la douce France.

Vers Apollin[1] ils courent dans une crypte[2],
ils le querellent et l'injurient violemment :
« Ah ! mauvais dieu, pourquoi nous fais-tu telle honte ?
Notre roi, pourquoi l'as-tu laissé ruiner ?
À qui te sert bien, tu donnes un mauvais salaire[3] ! »
Puis ils lui arrachent son sceptre[4] et sa couronne,
par les mains ils le pendent à une colonne,
ils le renversent par terre à leurs pieds,
à coups de gourdins ils le battent et le brisent.
À Tervagant[5] ils arrachent son escarboucle[6],
et ils jettent Mahomet[7] dans un fossé
où porcs et chiens le mordent et le piétinent.

188

Marsile est sorti de son évanouissement.
Il se fait porter dans sa chambre voûtée
qu'ornent peintures et inscriptions de diverses couleurs.
Et Bramimonde, la reine, pleure sur lui,
s'arrache les cheveux, se proclame misérable
et sur un autre point s'écrie à haute voix :
« Ah ! Saragosse, comme aujourd'hui tu es démunie
du noble roi qui te possédait !
Nos dieux ont commis une félonie*
en lui manquant ce matin dans la bataille.
L'émir montrera sa couardise*

---

1. ***Apollin*** : voir note 6, p. 21.
2. ***Crypte*** : caveau souterrain.
3. ***Salaire*** : récompense.
4. ***Sceptre*** : bâton, insigne de la royauté.
5. ***Tervagant*** : voir note 2, p. 31.
6. ***Escarboucle*** : voir note 1, p. 53.
7. ***Mahomet*** : voir note 4, p. 21.

s'il ne combat contre ces gens hardis,
si audacieux qu'ils ne se soucient pas de leurs vies.
L'empereur à la barbe fleurie
est vaillant* et bien téméraire[1].
En cas de bataille, il ne s'enfuira pas.
Quelle grande douleur qu'il n'y ait personne pour le tuer ! »

---

1. ***Téméraire*** : courageux.

XI. L'émir Baligant rejoint Marsile à Saragosse

(laisses 189 à 203)

189

L'empereur, de toute sa puissance,
sept ans tout pleins est resté en Espagne.
Il y prend des châteaux et nombre de cités.
Le roi Marsile s'en préoccupe fort :
dès la première année il fait sceller ses lettres,
il a averti à Babylone[1] Baligant,
c'est-à-dire l'émir, le vieillard chargé d'ans,
plus âgé même que Virgile[2] et Homère[3] :
que le baron* vienne à Saragosse le secourir ;
s'il ne le fait pas, il reniera ses dieux
et toutes les idoles qu'il a coutume d'adorer,
et il embrassera la sainte foi chrétienne,

---

1. ***Babylone*** : ancienne ville de Mésopotamie (ses ruines se situent aujourd'hui aux alentours de Bagdad, en Irak).
2. ***Virgile*** : poète latin (v. 70-19 av. J.-C.), auteur notamment de *L'Énéide*.
3. ***Homère*** : voir présentation, p. 7.

et cherchera un accord avec Charlemagne.
Mais l'émir est loin, il a longtemps tardé.
Il appelle ses peuples de quarante royaumes,
il a fait apprêter ses grands navires,
ses esquifs, ses barges, ses galères et ses nefs [1].
Sous Alexandrie [2], il est un port de mer :
il y a fait apprêter toute sa flotte.
C'est en mai, au premier jour de l'été :
il a lancé sur la mer toutes ses armées.

190

Grandes sont les armées de ce peuple ennemi.
Elles cinglent [3] avec force, rament, manœuvrent.
Au sommet des mâts, sur les hautes proues [4],
un grand nombre d'escarboucles [5] et de lanternes
projettent d'en haut une telle lumière
que, dans la nuit, la mer en est plus belle
et qu'à l'approche de la terre d'Espagne
tout le pays en brille et s'éclaire.
Jusqu'à Marsile en parvient la nouvelle.

[Le roi Marsile, gravement blessé par Roland, reçoit l'aide de l'émir Baligant. Quand celui-ci apprend la mort de Roland et des douze pairs* de France, il décide d'attaquer Charlemagne, le jugeant affaibli.]

---

1. ***Esquifs*, *barges*, *galères*, *nefs*** : bateaux.
2. ***Alexandrie*** : ville d'Égypte fondée par Alexandre le Grand en 332-331 av. J.-C., occupée par les Arabes en 642.
3. ***Cinglent*** : font voile.
4. ***Proues*** : parties avant des navires.
5. ***Escarboucles*** : voir note 1, p. 53.

XII. À Roncevaux, Charlemagne pleure les siens

(laisse 204 à 213)

204

À Roncevaux s'en est venu Charles.
Sur les morts qu'il trouve il commence à pleurer.
Il dit aux Français : « Seigneurs, allez au pas,
car il me faut moi-même aller devant,
pour mon neveu que je voudrais trouver.
J'étais à Aix lors d'une fête solennelle,
et mes vaillants* chevaliers se vantèrent
de grandes batailles et de rudes mêlées.
J'entendis Roland tenir ces propos :
jamais il ne mourrait en royaume étranger
sans qu'il précédât ses hommes et ses pairs* ;
vers le pays ennemi il aurait la tête tournée ;
c'est en conquérant que le baron* finirait ses jours. »
Plus loin qu'on ne peut jeter un bâton,
Charles, devant les autres, est monté sur une hauteur.

205

Tandis que l'empereur recherche son neveu,
combien dans le pré il trouve d'herbes dont les fleurs
sont vermeilles* du sang de nos barons* !
Pris de pitié, il ne peut se retenir de pleurer.
Sous deux arbres est parvenu le roi.
Il reconnut les coups de Roland sur trois blocs de pierre.
Sur l'herbe verte, il voit, gisant, son neveu :
rien d'étonnant que Charles soit affligé.
Il met pied à terre, il y va en courant.
Entre ses deux mains il le prend
et sur lui s'évanouit, tant l'étreint l'angoisse.

206

L'empereur revient de son évanouissement.
Le duc Naimes et le comte Acelin,
Geoffroy d'Anjou et son frère Henri
prennent le roi et le redressent sous un pin.
Il regarde à terre, voit son neveu gisant.
Très tendrement il commence l'oraison funèbre [1] :
« Ami Roland, que de toi Dieu ait pitié !
Jamais personne ne vit tel chevalier
pour engager et gagner de grandes batailles.
Mon honneur, le voici sur son déclin. »
Charles s'évanouit, il ne peut s'en retenir.

207

Le roi Charles est revenu de son évanouissement.
Par les mains quatre de ses barons* le soutiennent.
Il regarde à terre, voit, gisant, son neveu :

---

1. ***Oraison funèbre*** : discours prononcé en hommage à un mort.

son corps a gardé sa force, mais perdu sa couleur ;
ses yeux révulsés[1] sont emplis de ténèbres.
Charles lui dit sa plainte toute de foi et d'amour :
« Ami Roland, que Dieu mette ton âme parmi les fleurs
du paradis, entre les êtres de gloire !
En Espagne quel mauvais seigneur tu as suivi !
Jamais il ne sera de jour que pour toi je ne souffre,
Combien vont déchoir[2] ma force et ma hardiesse !
Je n'aurai plus personne qui soutienne mon honneur :
sous le ciel je ne crois plus avoir un seul ami.
Si j'ai des parents, il n'en est aucun d'aussi vaillant*. »
Il s'arrache les cheveux à pleines mains.
Cent mille Francs en éprouvent une si grande douleur
qu'il n'en est pas qui ne pleure amèrement. [...]

213

L'empereur ordonne la toilette de Roland
et d'Olivier et de l'archevêque Turpin.
Devant lui il les a fait ouvrir tous trois,
il a fait recueillir leurs trois cœurs en une étoffe de soie.
On les a mis dans un blanc cercueil de marbre ;
puis on a pris les corps des barons*
et on a placé les seigneurs dans des peaux de cerf,
bien lavés avec des aromates et du vin.
Le roi commande à Thibaud, à Geboin,
au comte Milon et au marquis Othon :
« Emmenez-les sur trois charrettes. »
Ils sont recouverts d'un drap de soie de Galaza[3].

1. ***Révulsés*** : voir note 3, p. 77.
2. ***Déchoir*** : diminuer.
3. ***Soie de Galaza*** : tissu précieux.

XIII. Baligant attaque Charlemagne

(laisses 214 à 257)

214

L'empereur Charles voulait s'en retourner
quand devant lui surgissent les avant-gardes des païens*.
Du front de la troupe viennent deux messagers
qui, au nom de l'émir, lui annoncent la bataille :
« Roi orgueilleux, il n'est pas question que tu t'en ailles.
Vois Baligant qui derrière toi chevauche.
Grandes sont les troupes qu'il amène d'Arabie.
Nous verrons aujourd'hui si tu es valeureux*. »
Le roi Charles a porté la main à sa barbe,
il se rappelle sa douleur et ses pertes.
L'œil farouche*, il regarde toute sa troupe,
puis il s'écrie de sa voix forte et haute :
« Barons* français, à cheval et aux armes ! »

215

L'empereur le tout premier s'équipe.
Rapidement il revêt sa cuirasse*,

lace son casque et ceint Joyeuse
dont le soleil n'éteint pas la clarté.
Il pend à son cou un bouclier de Biterne ;
il tient son épieu* dont il brandit la hampe*,
puis il monte sur Tencendur, son bon cheval :
il l'a conquis aux gués[1], sous Marsune,
où il jeta à terre, mort, Malpalin de Narbonne.
Il lui lâche la bride, l'éperonne* tant et plus,
part au galop sous les yeux de cent mille hommes.
Il invoque[2] Dieu et l'apôtre de Rome.

216

Par tout le champ* ceux de France mettent pied à terre ;
plus de cent mille s'arment à la fois.
Ils ont des équipements qui leur conviennent bien,
des chevaux rapides et de très belles armes.
Puis ils montent en selle avec beaucoup d'adresse.
S'ils en trouvent l'occasion, ils comptent livrer bataille.
Leurs gonfanons* retombent sur leurs casques.
Quand Charles voit leur si fière allure,
il appelle Jozerant de Provence,
le duc Naimes, Antelme de Mayence :
« En de tels vassaux* on peut avoir confiance.
Il faut être fou pour s'inquiéter parmi eux.
Si les Arabes ne renoncent pas à venir,
je compte leur faire payer cher la mort de Roland. »
Le duc Naimes répond : « Ah ! que Dieu nous l'accorde ! » [...]

---

1. ***Gués*** : endroits peu profonds des rivières et que l'on peut traverser à pied.
2. ***Invoque*** : voir note 5, p. 21.

226

L'empereur descend de son cheval.
Sur l'herbe verte il s'est couché face contre terre.
Il tourne son visage vers le soleil levant
et invoque Dieu du fond de son cœur :
« Vrai Père, en ce jour même défends-moi,
toi qui sauvas Jonas, c'est la vérité,
de la baleine qui l'avait en son corps,
toi qui préservas le roi de Ninive,
et Daniel du prodigieux supplice
dans la fosse aux lions où il était enfermé,
et les trois enfants dans une fournaise ardente[1] !
Que ton amour aujourd'hui m'assiste !
Dans ta pitié, si c'est ta volonté, accorde-moi
que je puisse venger mon neveu, Roland ! »
Sa prière récitée, il se redresse
et fait sur sa tête le puissant signe de croix.
Le roi monte sur son cheval rapide
Naimes et Jozerant lui tinrent l'étrier.
Il prend son bouclier et son épieu* tranchant.
Son corps est élégant, robuste, bien fait,
son visage brillant et plein d'assurance.

---

1. Ce passage cite quatre exemples de la toute-puissance de Dieu relatés dans l'Ancien Testament : le prophète Jonas, avalé par un poisson gigantesque, aurait survécu trois jours dans le ventre de l'animal grâce à sa foi et, émerveillé par ce prodige, le roi païen de Ninive se serait converti, échappant ainsi à la vengeance divine (Jonas, 2, 1-10) ; enfermé dans une fosse remplie de lions affamés par le roi Darius, le prophète Daniel y aurait passé la nuit sans que les fauves l'attaquent (Daniel, 6, 2-25) ; enfin, les trois individus condamnés à être jetés dans une fournaise brûlante pour avoir refusé de se prosterner devant la statue du roi de Babylone en seraient sortis indemnes (Daniel, 3, 1-30).

Puis il chevauche, solide sur ses étriers.
Les clairons sonnent à l'arrière et à l'avant;
plus haut que tous les autres retentit l'olifant*.
Les Français pleurent par pitié pour Roland.

227

Très noblement l'empereur chevauche.
Sur sa cuirasse* il a étalé sa barbe.
Par amour pour lui les autres font de même:
ainsi se reconnaissent cent mille Francs.
Ils passent les monts et les plus hautes roches,
les vallées profondes, les défilés [1] angoissants.
Ils sortent des cols et de la terre déserte,
du côté de l'Espagne ils sont entrés dans la marche
et se sont installés dans une plaine.
Vers Baligant reviennent ses avant-gardes.
Et voici un Syrien [2] qui lui transmet son message:
« Nous avons vu l'orgueilleux roi Charles.
Ses hommes sont fiers, ils n'ont pas envie de lui manquer.
Armez-vous, vous allez avoir la bataille ! »
Baligant dit: « Oui, ce sont de bons vassaux*.
Sonnez vos clairons, pour que mes païens* le sachent. » [...]

229

L'émir a vraiment tout d'un baron*.
Il a la barbe aussi blanche que fleur;
en sa religion il est très savant,
et en bataille il est farouche* et hardi.
Son fils Malpromis est un très bon chevalier,

---

1. ***Défilés*** : voir note 2, p. 33.
2. ***Syrien*** : originaire de Syrie.

grand et fort et digne de ses ancêtres.
Il dit à son père : « Sire, chevauchons donc !
Je serai fort étonné si jamais nous voyons Charles. »
Baligant dit : « Si, nous le verrons, car il est très courageux.
De nombreuses gestes*, de lui, chantent les louanges.
Mais il n'a plus son neveu Roland :
il n'aura pas la force de tenir contre nous. » [...]

243

Malpromis monte un cheval tout blanc ;
il se jette dans la foule des Francs.
De l'un à l'autre il frappe de grands coups
et les renverse souvent morts l'un sur l'autre.
Le tout premier Baligant s'écrie :
« Mes barons*, je vous ai longtemps nourris.
Voyez mon fils, il recherche Charles,
défiant de ses armes tant de barons*.
Je ne demande pas de meilleur vassal* que lui.
Secourez-le de vos épieux* tranchants ! »
À ces mots, les païens* avancent ;
ils frappent de durs coups : grand est le massacre.
La bataille est prodigieuse et éprouvante :
il n'y en eut d'aussi rude avant ni depuis ce temps.

244

Grandes sont les armées et farouches* les troupes.
Toutes les compagnies sont aux prises,
et les païens* frappent des coups prodigieux.
Dieu ! combien de hampes* brisées en deux,
de boucliers en pièces, de cuirasses* démaillées !
Là vous en auriez vu la terre si jonchée

que l'herbe du champ*, si verte, si tendre,
du sang qui coule devient toute vermeille*.
L'émir exhorte[1] ses fidèles :
« Frappez, barons*, sur le peuple chrétien ! »
La bataille est violente et acharnée :
jamais avant ni depuis on ne vit si âpre[2] affrontement ;
jusqu'à la nuit on ne s'accordera pas de trêve.

245

L'émir exhorte ses gens :
« Frappez, païens* : c'est pour cela que vous êtes venus.
Je vous donnerai des femmes nobles et belles,
je vous donnerai des fiefs*, des domaines et des terres. »
Les païens* répondent : « Oui, nous devons bien le faire. »
De leurs coups redoublés ils perdent force épieux* ;
ils ont tiré plus de cent mille épées.
Voici la mêlée douloureuse et terrible ;
il voit une vraie bataille, celui qui veut être parmi eux.

246

L'empereur harangue[3] ses Français :
« Seigneurs barons*, je vous aime, j'ai foi en vous.
Que de batailles vous avez livrées pour moi,
que de royaumes conquis et de rois détrônés !
Je reconnais que je vous en dois une récompense,
de ma personne, de mes terres, de mes biens.
Vengez vos fils, vos frères, vos héritiers
qui à Roncevaux furent tués l'autre soir.

---

1. ***Exhorte*** : encourage.
2. ***Âpre*** : rude.
3. ***Harangue*** : adresse un discours solennel à.

Vous savez bien que contre les païens* j'ai le droit pour [moi. »]
Les Francs répondent : « Sire, vous dites vrai. »
Ils sont vingt mille autour de lui
à lui promettre d'une seule voix
qu'ils ne lui manqueront pas [1], dussent-ils mourir dans la [détresse.]
Il n'en est pas qui ne fasse de sa lance bon emploi ;
de leurs épées ils frappent aussitôt.
La bataille est prodigieusement acharnée.

247

Et Malpromis par le champ* chevauche :
de ceux de France il fait un grand carnage.
Le duc Naimes, farouche*, le regarde,
il va le frapper en homme valeureux*.
De son bouclier il brise le rebord
et des deux pans de sa cuirasse* il ébrèche le vernis ;
dans le corps il lui plonge toute son enseigne* jaune,
si bien qu'il l'abat mort parmi des milliers d'autres. [...]

257

Le roi Charlemagne frappe à tour de bras,
et le duc Naimes, et Ogier le Danois,
et Geoffroy d'Anjou qui tenait l'enseigne*.
Sire Ogier le Danois est d'un prodigieux courage.
Il pique son cheval, le laisse courir de toutes ses forces
et va frapper celui qui tenait le dragon [2],
si bien qu'il abat sur place devant lui Ambure

---

1. ***Ils ne lui manqueront pas*** : voir note 2, p. 28.
2. ***Dragon*** : emblème de l'émir Baligant.

et le dragon et l'enseigne* du roi.
Baligant voit tomber son gonfanon*
et rester là l'étendard de Mahomet.
L'émir commence à pressentir
qu'il est dans son tort et Charlemagne dans son droit.
Les païens* d'Arabie, à plus de cent, tournent le dos.
L'empereur appelle ses Français :
« Dites-moi, barons*, par Dieu, vous m'aiderez ? »
Les Francs répondent : « Pourquoi le demander ?
Félon* fieffé* soit celui qui ne frappe à coups redoublés ! »

XIV. La déroute des Sarrasins

(laisses 258 à 266)

258

Passe le jour et s'en vient le soir.
Francs et païens* frappent de leurs épées.
Quels chefs vaillants* mirent aux prises les armées !
Ils n'ont pas oublié leurs cris de guerre.
L'émir a crié : « Précieuse ! »,
et Charles « Monjoie ! », le cri si fameux.
Ils se reconnaissent l'un l'autre à leurs voix hautes et claires.
Au milieu du champ* tous deux se rencontrent,
ils viennent se frapper, se donnent de grands coups
de leurs épieux* sur les boucliers à cercles.
Ils les ont brisés sous leurs larges bosses.
De leurs cuirasses* ils déchirent les pans,
sans se blesser dans leur chair.
Les sangles se rompent, les selles versent,
les rois tombent, par terre ils se retournent
et aussitôt ils se remettent sur pied.
Très vaillamment* ils ont tiré leurs épées.

Cette bataille ne sera plus différée :
elle ne peut s'achever sans mort d'homme.

259

C'est un vaillant* guerrier que Charles de la douce France ;
mais l'émir ne le craint ni ne le redoute.
Ils brandissent leurs épées toutes nues ;
sur leurs boucliers ils se donnent des coups violents ;
ils en tranchent le cuir et le bois à double épaisseur ;
les clous tombent et les bosses éclatent ;
puis ils se frappent à découvert sur leurs cuirasses* ;
de leurs casques brillants jaillissent des étincelles.
Cette bataille ne pourra s'arrêter
avant que l'un d'eux ne reconnaisse son tort.

260

L'émir dit : « Charles, réfléchis donc,
et décide-toi à me montrer ton repentir.
Tu as tué mon fils, je le sais bien,
et c'est injustement que tu me disputes mon pays.
Deviens mon vassal*, je te le donnerai en fiefs* ;
viens me servir jusqu'en Orient. »
Charles répond : « Quel déshonneur pour moi !
Je ne dois donner à un païen* ni paix ni amitié.
Reçois la foi que Dieu nous révèle,
la foi chrétienne, et aussitôt je t'aimerai ;
et puis sers et crois le Roi tout-puissant. »
Baligant dit : « Tu commences un mauvais sermon [1]. »
Alors ils vont se frapper des épées qu'ils ont ceintes.

---

1. ***Sermon*** : discours.

261

L'émir est d'une vigueur exceptionnelle.
Il frappe Charlemagne sur son casque d'acier brun,
qu'il lui brise et lui fend sur la tête ;
il lui met l'épée sur ses cheveux fins,
il prend de la chair une pleine paume, et même plus :
à cet endroit l'os reste complètement à nu.
Charles chancelle, il en est presque tombé ;
mais Dieu ne veut pas qu'il soit mort ou vaincu.
Saint Gabriel [1] est revenu vers lui
et lui demande : « Grand roi, que fais-tu ? »

262

Quand Charles entend la sainte voix de l'ange,
il n'a pas peur ni crainte de mourir ;
et lui reviennent vigueur et conscience.
Il frappe l'émir de l'épée de France ;
il lui brise le casque dont les gemmes [2] flamboient,
il lui fend le crâne d'où se répand la cervelle,
et tout le visage jusqu'à la barbe blanche,
si bien qu'il l'abat mort sans aucun recours.
« Monjoie ! » lance-t-il comme cri de ralliement.
À ce mot, le duc Naimes est venu,
il prend Tencendor, et le grand roi y remonte.
Les païens* tournent le dos, Dieu ne veut pas qu'ils
[résistent.]
Et voilà les Français après ceux qu'ils pourchassent.

---

1. ***Saint Gabriel*** : voir note 1, p. 85.
2. ***Gemmes*** : voir note 2, p. 55.

263

Les païens* s'enfuient, comme Notre Seigneur le veut.
Les Francs les poursuivent, et l'empereur avec eux.
Le roi leur dit : « Seigneurs, vengez vos deuils,
soulagez votre colère et votre cœur,
car ce matin j'ai vu pleurer vos yeux. »
Les Francs répondent : « Sire, c'est ce qu'il nous faut. »
Chacun frappe de grands coups, autant qu'il peut.
Peu en réchappent, de ceux qui sont là.

264

Forte est la chaleur, et la poussière s'élève.
Les païens* s'enfuient, et les Français les talonnent.
Ils les pourchassent jusqu'à Saragosse.
Au sommet de sa tour est montée Bramidoine,
et avec elle ses clercs et ses chanoines [1]
de la fausse religion que Dieu n'aima jamais :
ils n'ont pas reçu les ordres ni la tonsure [2].
Quand elle vit massacrer ainsi les Arabes,
à haute voix elle s'écrie : « Aidez-nous, Mahomet !
Ah ! noble roi, voilà vaincus nos hommes,
et l'émir tué ignominieusement ! »
Quand Marsile l'entend, il se tourne vers la paroi,
ses yeux versent des larmes, et sa tête s'abat :
il est mort de douleur, accablé par le malheur ;
il rend son âme aux diables en personne.

---

1. ***Clercs*** et ***chanoines*** : religieux (ces titres n'existent en réalité que dans la religion chrétienne).
2. ***Tonsure*** : voir note 2, p. 60.

265

Les païens* sont morts, certains ont pris la fuite,
et Charles a gagné la bataille.
Il a abattu la porte de Saragosse :
maintenant, il sait bien qu'elle ne sera plus défendue.
Il prend la cité, ses gens y sont venus ;
par la force, cette nuit, ils y couchèrent.
Fier est le roi à la barbe chenue*,
et Bramidoine lui a rendu les tours,
dont dix sont grandes et cinquante petites.
L'on réussit quand Notre Seigneur vous aide.

266

Le jour passe, la nuit est tombée ;
la lune est brillante et les étoiles scintillent.
L'empereur a pris Saragosse ;
à mille Français on fait fouiller la ville,
les synagogues [1] et les mosquées [2] ;
avec, en mains, des maillets [3] de fer et des cognées [4],
ils brisent les statues et toutes les idoles :
il n'y restera ni sortilège ni fausse croyance.
Le roi croit en Dieu, il veut faire son service,
et ses évêques bénissent les eaux :
ils mènent les païens* jusqu'au baptistère [5].
S'il y en a un qui veuille résister à Charles,
il le fait prendre ou brûler ou tuer.

---

1. ***Synagogues*** : lieux de culte juif.
2. ***Mosquées*** : lieux de culte musulman.
3. ***Maillets*** : masses.
4. ***Cognées*** : haches.
5. ***Baptistère*** : lieu de baptême chrétien.

Beaucoup plus de cent mille sont baptisés
en vrais chrétiens, hormis seulement la reine.
En douce France elle sera emmenée captive :
le roi veut qu'elle se convertisse par amour. [...]

XV. Le retour des Francs à Aix et la mort d'Aude

(laisses 268 et 269)

268

L'empereur est revenu d'Espagne,
il vient à Aix, sa plus belle résidence en France.
Il monte au palais, il est entré dans la grand-salle.
Or voici que vient à lui Aude, une belle demoiselle.
Elle dit au roi : « Où est Roland le capitaine
qui jura de me prendre pour femme ? »
Charles en est accablé de tristesse,
il pleure, il tire sa barbe blanche :
« Sœur, chère amie, c'est d'un mort que tu t'informes.
Je te donnerai en échange un bien meilleur parti :
c'est Louis[1], je ne peux pas mieux dire ;
il est mon fils et gouvernera mon empire. »
Aude répond : « Ce sont pour moi d'étranges paroles.
Ne plaise à Dieu, à ses saints et à ses anges,

---

1. ***Louis*** : il s'agit de Louis le Pieux, qui naît l'année de la bataille de Roncevaux (778-840).

qu'après Roland je demeure en vie ! »
Elle pâlit, tombe aux pieds de Charlemagne ;
aussitôt la voici morte – que Dieu ait pitié de son âme !
Les barons* français la pleurent et la plaignent.

269

La belle Aude est allée à sa fin.
Le roi croit qu'elle s'est évanouie.
Il a pitié d'elle, il la pleure, l'empereur.
Il la prend par les mains, il l'a relevée :
sur ses épaules, sa tête est retombée.
Quand Charles constate qu'elle est morte,
il a aussitôt fait venir quatre comtesses,
et on l'emporte en un couvent de religieuses.
Toute la nuit, jusqu'à l'aube, on la veille.
Au pied d'un autel, solennellement on l'enterre.
Le roi lui a rendu de très grands honneurs.

XVI. Le procès de Ganelon

(laisses 270 à 279)

270

L'empereur est revenu à Aix.
Ganelon le félon*, en des chaînes de fer,
est dans la cité, devant le palais.
À un poteau les serfs* l'ont attaché,
ils lui lient les mains avec des courroies de cerf[1] ;
ils le rouent de coups de bâtons et de gourdins :
il n'a pas mérité d'autre bienfait.
Dans les supplices, il attend là son procès.

271

Il est écrit dans l'ancienne chronique
que Charles convoqua des vassaux* de nombreuses terres.
Ils sont assemblés à Aix dans la chapelle.
C'est le jour solennel d'une très grande fête,
celle, selon certains, du noble saint Sylvestre[2].

---

1. ***Courroies de cerf***: courroies faites avec de la peau de cerf.
2. Saint Sylvestre, qui fut pape de 314 à 335, est fêté le 31 décembre.

© Roger-Viollet

■ L'arrestation de Ganelon. Miniature des « Chroniques et conquêtes de Charlemagne », XVe siècle.

Alors commence le récit du jugement
de Ganelon qui a commis la trahison.
L'empereur devant lui l'a fait amener.

272

« Seigneurs barons*, dit le roi Charlemagne,
jugez-moi donc Ganelon selon le droit !
Il fut dans l'armée avec moi jusqu'en Espagne,
et il me ravit vingt mille de mes Français
et mon neveu que vous ne verrez plus jamais,
et Olivier, le vaillant* et le courtois*.
Il a trahi les douze pairs* pour de l'argent. »
Ganelon dit : « Que je sois un traître si je me tais !
Roland m'a fait du tort dans mon or et mes biens :
c'est pourquoi j'ai cherché sa mort et sa détresse,
mais de trahison je n'en reconnais aucune. »
Les Francs répondent : « Nous allons en délibérer. »

273

Devant le roi Ganelon se tenait debout,
le corps vigoureux et le teint coloré :
loyal, il aurait eu tout d'un baron*.
Il voit ceux de France et tous les juges
et trente de ses parents qui sont avec lui ;
puis il s'écrie très haut, d'une voix forte :
« Pour l'amour de Dieu, écoutez-moi, barons* !
Seigneurs, j'étais dans l'armée avec l'empereur,
je le servais avec fidélité et amour.
Roland son neveu me prit en haine,
il me condamna à la mort et à la douleur.
Je fus messager auprès du roi Marsile ;

par mon adresse je réussis à me sauver.
Je défiai Roland le guerrier
et Olivier et tous leurs compagnons :
Charles l'entendit, ainsi que ses nobles barons*.
Je m'en suis vengé, sans qu'il y ait trahison. »
Les Francs répondent : « Nous en délibérerons. »

274

Quand Ganelon voit que commence son grand procès,
il y a eu avec lui trente de ses parents,
et parmi eux un que les autres écoutent :
c'est Pinabel du château de Sorence.
Il sait bien parler et convaincre par ses discours ;
c'est un vaillant* soldat les armes à la main.
Ganelon lui dit : « En vous j'ai confiance :
arrachez-moi aujourd'hui à la mort et au procès. »
Pinabel dit : « Vous serez bientôt sauvé.
Il n'est pas de Français qui vous condamne à être pendu,
sans que, si l'empereur nous met aux prises l'un et l'autre,
de ma lame d'acier je lui en donne le démenti. »
Le comte Ganelon à ses pieds se prosterne.

275

Bavarois et Saxons sont allés au conseil,
et Poitevins et Normands et Français ;
il y a beaucoup d'Allemands et de Thiois[1].
Ceux d'Auvergne sont les plus courtois* ;
à cause de Pinabel ils se font plus discrets.
L'un dit à l'autre : « Il est bon d'en rester là !

1. ***Thiois*** : l'un des peuples dont était alors constituée l'Allemagne.

Renonçons au procès et prions le roi
qu'il déclare Ganelon quitte pour cette fois,
et que celui-ci le serve désormais avec amour et fidélité.
Roland est mort, jamais plus vous ne le reverrez,
ni or ni argent ne le feront revenir :
il faudrait être fou pour livrer bataille. »
Il n'est personne qui ne donne son accord,
hormis le seul Thierry, le frère de sire Geoffroy.

276

Vers Charlemagne reviennent ses barons* ;
ils disent au roi : « Sire, nous vous prions
de déclarer quitte le comte Ganelon,
puis qu'il vous serve avec fidélité et amour.
Laissez-le vivre, car il est de haute noblesse.
Même s'il meurt, nous ne reverrons aucun baron*,
et jamais, pour de l'argent, nous ne le retrouverons. »
Le roi leur dit : « Vous êtes des traîtres. »

277

Quand Charles voit que tous l'ont abandonné,
il incline profondément le visage ;
de douleur il se proclame malheureux.
Or voici devant lui un chevalier, Thierry,
le frère de Geoffroy, un duc angevin.
Il a le corps mince, frêle, élancé,
les cheveux noirs, le visage plutôt brun ;
il n'est pas très grand, ni trop petit.
Courtoisement* il a dit à l'empereur :
« Cher seigneur, mon roi, ne vous désolez pas ainsi.
Vous savez bien que je vous ai beaucoup servi.

Pour mes ancêtres je dois soutenir ce procès.
Quelque tort que Roland ait fait à Ganelon,
d'être à votre service aurait dû le protéger.
Ganelon est un félon* pour l'avoir trahi ;
envers vous il s'est parjuré [1] et mis dans son tort.
Pour cette raison, je juge qu'il doit mourir pendu,
tourmenté dans son corps et détruit,
comme un félon* qui a commis félonie*.
S'il a un parent qui veuille me démentir [2],
de cette épée que j'ai ceinte ici
je veux sur-le-champ soutenir mon jugement. »
Les Francs répondent : « Vous avez bien parlé. »

278

Devant le roi est venu Pinabel.
Il est grand, fort, valeureux*, agile.
Celui qu'il frappe d'un coup, c'en est fini pour lui.
Il dit au roi : « Sire, c'est vous le juge.
Commandez donc qu'il n'y ait pas tant de bruit.
Je vois ici Thierry qui a rendu son jugement.
Je l'en dédis [3], je me battrai contre lui. »
Il remet en son poing son gant droit en peau de cerf.
L'empereur dit : « J'en demande de bons garants. »
Trente parents garantissent sa loyauté.
Le roi dit : « Je vous le remettrai donc en liberté. »
Il les fait garder jusqu'à ce que justice soit rendue [4].

---

1. ***Il s'est parjuré*** : il a trahi sa parole.
2. ***Démentir*** : contredire.
3. ***Dédis*** : contredis, désavoue.
4. La justice féodale prévoyait l'emprisonnement de l'accusé et de l'accusateur avant le jugement. Ils étaient laissés en liberté si des membres de

279

Quand Thierry voit que la bataille aura lieu,
il a présenté à Charles son gant droit.
L'empereur le remet en liberté sous caution,
puis fait porter sur la place quatre bancs,
où vont s'asseoir ceux qui doivent combattre.
Ils se sont défiés dans les formes, au jugement des autres.
C'est Ogier le Danois qui a réglé l'affaire.
Puis ils réclament leurs chevaux et leurs armes.

leur famille se constituaient prisonniers à leur place, garantissant ainsi qu'ils ne s'enfuiraient pas. Ce système visait à éviter les fausses accusations, puisque l'accusateur et les siens risquaient la même peine que l'accusé et ses garants si celui-ci était innocenté.

XVII. Le jugement de Dieu entre Thierry et Pinabel

(laisses 280 à 286)

280

Après qu'ils se sont préparés à se battre,
ils sont confessés, absous[1] et bénis ;
ils entendent la messe, reçoivent la communion,
font aux églises de très grandes offrandes.
Devant Charles ils reviennent tous deux :
ils ont chaussé à leurs pieds leurs éperons*,
ils revêtent des cuirasses* blanches, fortes et légères,
ils ont lacé sur leurs têtes leurs casques brillants,
ils ceignent des épées à la garde d'or pur,
à leurs cous ils suspendent leurs boucliers à quartiers,
de la main droite ils tiennent leurs épieux* tranchants,
puis ils sont montés sur leurs rapides destriers*.
Alors pleurèrent cent mille chevaliers
qui, par amour pour Roland, ont pitié de Thierry.
Dieu sait bien quelle en sera la fin.

1. ***Absous*** : voir note 1, p. 46.

281

Sous les murs d'Aix la prairie est très large.
Entre les deux barons* la bataille s'engage.
Ils sont valeureux* et d'une grande vaillance*,
leurs chevaux rapides et impétueux.
Ils les éperonnent* bien et lâchent à fond les brides ;
de toute leur puissance ils vont se frapper l'un l'autre ;
leurs deux boucliers se brisent et se fracassent ;
leurs cuirasses* se déchirent et leurs sangles se cassent ;
les troussequins* tournent et les selles tombent à terre.
Cent mille hommes pleurent, à les regarder.

282

Voici qu'à terre sont les deux chevaliers.
Rapidement ils se remettent debout.
Pinabel est fort, agile et léger.
Ils s'attaquent l'un l'autre, ils n'ont plus de destriers*.
De leurs épées à la garde d'or pur
ils frappent, ils frappent sur les casques d'acier.
Rudes sont les coups, jusqu'à fendre les heaumes*.
Les chevaliers français en sont à désespérer.
« Ah ! Dieu, dit Charles, faites éclater le droit. »

283

Pinabel dit : « Thierry, reconnais-toi donc vaincu.
Je serai ton vassal* en toute amour et toute foi ;
à ton gré je te donnerai de mes biens,
mais réconcilie Ganelon avec le roi. »
Thierry répond : « Il n'y a pas à discuter.
Quel fieffé* félon* je serai si j'y consens tant soit peu !
Que Dieu, aujourd'hui, indique le droit entre nous deux ! »

284

Thierry lui dit : « Pinabel, tu es valeureux*,
tu es grand et fort, le corps bien fait ;
pour ta bravoure tes pairs* te connaissent.
À cette bataille renonce donc !
Avec Charlemagne je te réconcilierai.
De Ganelon il sera fait telle justice
qu'il ne se passera de jour sans qu'on en parle. »
Pinabel dit : « Ne plaise à Dieu Notre Seigneur !
Je veux soutenir toute ma parenté ;
je ne me rendrai pour aucun homme au monde ;
je préfère mourir qu'encourir ce reproche. »
De leurs épées ils commencent à frapper
sur leurs casques aux gemmes [1] serties dans l'or ;
vers le ciel en volent, brillantes, les étincelles.
Il est impossible de les séparer :
le combat ne peut finir sans mort d'homme.

285

Pinabel de Sorence est d'une exceptionnelle bravoure.
Il frappe Thierry sur le casque de Provence :
il en jaillit du feu qui enflamme l'herbe.
De sa lame d'acier il lui présente la pointe
qu'il lui fait descendre sur le front,
il le blesse en plein visage :
sa joue droite est tout ensanglantée,
et sa cuirasse* fendue jusqu'en dessous du ventre.
Dieu le préserva d'être renversé et tué.

1. ***Gemmes*** : voir note 2, p. 55.

286

Thierry voit qu'il est frappé au visage :
son sang tout clair tombe sur l'herbe du pré.
Il frappe Pinabel sur son casque d'acier brun
qu'il a brisé et fendu jusqu'au nasal* ;
de sa tête il a fait couler la cervelle ;
il retourne sa lame et l'a abattu mort.
Par ce coup la bataille est gagnée.
Les Francs s'écrient : « Dieu a fait un miracle.
Il est bien juste que Ganelon soit pendu,
et ses parents qui ont été ses garants. »

XVIII. La mise à mort de Ganelon et des siens

(laisses 287 à 289)

287

Quand Thierry eut gagné sa bataille,
l'empereur Charles est venu à lui,
accompagné de quatre de ses barons*,
le duc Naimes, Ogier de Danemark,
Geoffroy d'Anjou et Guillaume de Blaye.
Le roi a pris Thierry entre ses bras,
il lui essuie le visage de ses grandes peaux de martre[1] ;
il les rejette, et on lui en met d'autres.
Avec une grande douceur on désarme le chevalier ;
on l'a fait monter sur une mule d'Arabie.
Il s'en retourne joyeux, escorté de barons*.
Ils rentrent dans Aix, mettent pied à terre sur la place.
Alors commence l'exécution des autres.

1. ***Martre*** : mammifère au corps allongé, au museau pointu et au pelage brun.

288

Charles appelle ses comtes et ses ducs :
« Que me conseillez-vous pour ceux que j'ai retenus ?
Pour Ganelon ils sont venus au procès,
pour Pinabel ils ont accepté d'être otages. »
Les Francs répondent : « Pas un ne doit survivre ! »
Le roi commande à un de ses officiers Basbrun :
« Va et pends-les tous à l'arbre au tronc maudit !
Par cette barbe dont les poils sont chenus*,
si un seul en réchappe, tu es un homme mort. »
Celui-ci répond : « Que ferais-je d'autre ? »
Avec cent sergents il les emmène de force,
il y en a trente qui sont pendus.
Le traître perd et soi-même et les autres.

289

Puis s'en retournèrent Bavarois, Allemands,
Poitevins, Bretons et Normands.
Plus que tous les autres, les Francs ont décidé
que Ganelon meure dans d'atroces tourments.
On fait avancer quatre destriers*,
puis on lui lie les pieds et les mains.
Les chevaux sont impétueux et vifs ;
quatre sergents les poussent
vers un cours d'eau au milieu d'un champ.
Ganelon s'achemine vers une fin terrible.
Tous ses nerfs se distendent,
et tous les membres de son corps se rompent :
sur l'herbe verte se répand son sang clair.
Ganelon est mort comme un traître et un lâche.
Quand on trahit, il n'est pas juste qu'on s'en vante.

XIX. La conversion de Bramimonde, la reine sarrasine

(laisses 290 et 291)

290

Quand l'empereur eut pris sa vengeance,
il appela ses évêques de France,
ceux de Bavière et ceux d'Allemagne :
« En ma maison j'ai une noble prisonnière.
Elle a tant entendu de sermons et de paraboles
qu'elle veut croire en Dieu et devenir chrétienne.
Baptisez-la pour que Dieu ait son âme. »
Ceux-là répondent : « Qu'on lui donne des marraines,
des dames de confiance et de haute naissance ! »
Aux bains d'Aix, en présence d'une foule immense,
ils baptisent la reine d'Espagne,
ils lui ont trouvé le nom de Julienne.
Elle est chrétienne par connaissance de la vraie foi.

291

Quand l'empereur eut rendu sa justice
et apaisé sa grande colère,
il a converti Bramidoine à la foi chrétienne.
Le jour passe, la nuit est tombée.
Le roi s'est couché dans sa chambre voûtée.
Saint Gabriel[1], de par Dieu, vint lui dire :
« Charles, lève les armées de ton empire !
De vive force tu iras en la terre de Bire[2],
tu secourras le roi Vivien à Imphe[3],
la cité que les païens* ont assiégée :
les chrétiens te réclament et t'implorent. »
L'empereur aurait voulu ne pas y aller :
« Dieu, dit le roi, si pénible est ma vie ! »
Il verse des larmes, il tire sa barbe blanche.
Ici s'arrête l'histoire que Turold raconte.

---

1. ***Saint Gabriel*** : voir note 1, p. 85.
2. ***Terre de Bire*** : il peut s'agir de l'Espagne, du Portugal ou du Moyen Orient.
3. ***Imphe*** : il s'agit probablement de l'un des nombreux noms inventés par l'auteur.

LEXIQUE

Vocabulaire médiéval

ARBALÈTE : arc muni d'un ressort avec gâchette, utilisé pour propulser une flèche à grande distance.

ARÇON : pommeau de selle.

BARON : titre de noblesse ; guerrier, homme courageux.

BATTRE SA COULPE : se repentir de ses péchés.

BÊTE DE SOMME : cheval utilisé pour porter de lourdes charges.

BROGNE : cuirasse à écailles ou à clous.

CARCAN : cercle de fer attaché au cou des prisonniers.

CHAMP : champ de bataille.

CHARTE : lettre, document écrit.

CHENU : qui est devenu blanc et, par extension, qui a les cheveux blancs.

COUARD : lâche, peureux.

COUARDISE : lâcheté.

COULPE : voir BATTRE SA COUPLE.

COURTOIS : aimable.

COURTOISEMENT : aimablement.

CUIRASSE : partie de l'armure qui recouvre le buste.

DARD : petit javelot.

DENIER : petite pièce de monnaie ; l'expression « denier vaillant » signifie « la moindre chose ».

DESTRIER : cheval de guerre, par opposition au palefroi.

ÉCU : bouclier.

ENSEIGNE : drapeau accroché à un manche et porté lors des batailles.

ÉPERON : pièce de métal avec des pointes acérées, fixée aux talons du cavalier pour faire avancer le cheval.

ÉPERONNER : piquer son cheval de ses éperons pour le faire avancer, accélérer.

ÉPIEU : arme composée d'un manche de bois et d'une pointe de fer.

FAROUCHE : sauvage ; violent, d'une cruauté barbare.

FÉLON : traître.

FÉLONIE : traîtrise.

FIEF : domaine octroyé par le suzerain à son vassal.

FIEFFÉ : qui possède au plus haut degré un vice, un défaut (formé sur « fief », le mot signifie au sens propre « celui qui est pourvu d'un fief », mais on a très tôt retenu le sens figuré, l'idée de degré élevé, le fief étant ce qui confère une grande force à son possesseur).

GESTE : récit d'exploits guerriers.

GONFALONIER : soldat chargé de porter le gonfanon (ou gonfalon) pendant la bataille.

GONFANON (OU GONFALON) : étendard accroché à une lance.

HAMPE : manche de bois des épieux, lances, gonfanons...

HEAUME : casque qui enveloppe toute la tête et le visage.

LIEUE : ancienne unité de mesure de distance équivalant à environ quatre kilomètres.

LIGNAGE : ensemble des individus issus d'un ancêtre commun ; origines familiales.

NASAL : partie du casque qui protège le nez.

OLIFANT : petit cor de chasse.

PAÏEN : non chrétien.

PAIR : seigneur de très haut rang.

PALEFROI : cheval de marche, de parade, de cérémonie, par opposition au destrier.

PERRIÈRE : machine de guerre utilisée au Moyen Âge pour projeter des pierres sur les murailles.

PIED : ancienne unité de mesure de longueur équivalant à environ trente-deux centimètres. Le demi-pied équivaut donc à environ seize centimètres.

PREUX : courageux.

RACE : synonyme de lignage.

RELIQUES : ossements de saints chrétiens auxquels on attribue des pouvoirs magiques.

SARRASINS : musulmans d'Afrique du Nord.

SERF : serviteur.

TRAIT : javelot.

TROUSSEQUIN : partie arrière de la selle.

VAILLAMMENT : courageusement.

VAILLANCE : courage.

VAILLANT : courageux.

VALEUREUX : qui a beaucoup de courage.

VASSAL, AUX : seigneur ayant juré fidélité à un autre seigneur plus puissant, le suzerain, en échange d'un fief.

VERMEIL : rouge.

VIL : qui inspire le mépris.

DOSSIER

- Un peu de rangement...
- Êtes-vous un lecteur attentif ?
- *La Chanson de Roland* en ancien français
- Des noms évocateurs
- Méfiez-vous des traîtres !
- Mots croisés
- Feriez-vous un preux chevalier ?
- L'Islam, par les chrétiens du Moyen Âge

Un peu de rangement...

Les épisodes de *La Chanson de Roland* inscrits ci-dessous sont dans le désordre.
Reclassez-les en respectant leur chronologie : vous reconstituerez ainsi le schéma narratif du roman.

1. Charlemagne tue Baligant et met son armée en déroute.
2. Marsile offre des cadeaux à Ganelon pour prix de sa trahison.
3. Roland tente en vain de briser son épée avant de mourir.
4. Blancandrin vient en ambassade auprès de Charlemagne.
5. Roland et son armée livrent bataille aux Sarrasins.
6. Charlemagne fait demi-tour en entendant le cor de Roland.
7. Ganelon est condamné à mort.
8. Charlemagne prend Saragosse.
9. L'arrière-garde des Francs est massacrée à Roncevaux.
10. Charlemagne détruit l'armée de Marsile.
11. Baligant vient au secours de Marsile.

Êtes-vous un lecteur attentif ?

1. Le col de Roncevaux sépare la France de :

A. l'Espagne
B. l'Italie
C. l'Allemagne

2. Ganelon est :

A. le père de Roland
B. le beau-père de Roland
C. le cousin de Roland

3. Baligant porte le titre de :

A. vizir
B. émir
C. calife

4. Les pairs de France sont au nombre de :

A. sept
B. douze
C. treize

5. Olivier demande à Roland de sonner du cor :

A. par lâcheté
B. pour effrayer l'ennemi
C. pour alerter Charlemagne

6. Lors de la bataille, le roi Marsile se fait couper :

A. la main
B. la tête
C. la jambe

7. « Monjoie » est :

A. l'épée de Charlemagne
B. son cheval
C. son cri de guerre

8. Quand il prend la ville de Saragosse, Charlemagne :

A. convertit de force musulmans et juifs
B. détruit les mosquées et les synagogues
C. fait preuve de tolérance

9. Lors du procès, la plupart des chevaliers veulent pardonner à Ganelon :

A. parce qu'ils haïssaient Roland
B. parce qu'ils espèrent qu'il leur donnera de l'or
C. par crainte de Pinabel

10. La reine Bramimonde :

A. devient chrétienne
B. épouse Charlemagne
C. change de nom

La Chanson de Roland en ancien français

Le texte que vous avez lu est une traduction de *La Chanson de Roland*. La langue employée par l'auteur, Turold, à la fin du XIe siècle est très différente de celle que nous utilisons aujourd'hui. Voici, à titre d'exemple, une des laisses du roman :

Dist Olivier : « Paien unt grant esforz ;
De noz Franceis m'i semblet aveir mult poi !
Cumpaign Rollant, kar sunez vostre corn ;
Si l'orrat Carles, si returnerat l'ost. »
Respunt Rollant : « Jo fereie que fols !
En dulce France en perdreie mun los.
Sempres ferrai de Durendal granz colps ;
Sanglant en ert li branz entresqu'a l'or.
Felun paien mar i vindrent as pors :
Jo vos plevis, tuz sunt jugez a mort ».

1. Pouvez-vous indiquer le numéro de cette laisse ?

2. Quels sont les mots dont l'orthographe n'a pas changé depuis le XIe siècle ? Sont-ils nombreux ?

3. Reconnaissez-vous certains mots malgré les changements d'orthographe ?

4. Relevez des mots qui ont complètement disparu aujourd'hui.

Des noms évocateurs

De tous les personnages de *La Chanson de Roland*, seuls deux ont réellement existé : Charlemagne, qui n'était pas encore empereur à l'époque des faits, et Roland, qui occupait la fonction de préfet des marches de Bretagne et qui fut effectivement tué lors d'une embuscade à Roncevaux. Tous les autres noms sont fictifs, en particulier ceux des Sarrasins. Ces noms ont parfois des connotations bien particulières...

1. Falsaron : sur quel radical ce nom est-il construit ? Quel verbe du 1er groupe évoque-t-il ?

2. Malcroyant, Malsaron, Malcud, Malpromis : quel préfixe contiennent ces quatre noms ? Sachant que, en ancien français, « cuider » signifie « croire », quel défaut apparaît à travers ces noms ?

3. Malprimis de Brigant : quel autre défaut est sous-entendu par ce nom ?

4. Apollin : à quel personnage célèbre ce nom fait-il songer ? Quel défaut des Sarrasins ce nom est-il censé souligner ?

Méfiez-vous des traîtres !

Ganelon n'est ni le premier ni le dernier traître de la littérature. Si la plupart d'entre eux sont des personnages inquiétants, voire terrifiants, certains peuvent être franchement comiques et même attirer la sympathie du lecteur. Saurez-vous les identifier ?

1. Personnage de bande dessinée créé par Goscinny et Tabary, j'échafaude des plans aussi machiavéliques qu'inefficaces pour supplanter mon maître et devenir calife à la place du calife.

Je suis..

2. Dans les évangiles, j'incarne la traîtrise la plus infâme : j'ai vendu Jésus aux Romains contre de l'argent.

Je suis..

3. Je trahis les autres animaux autant par méchanceté que par intérêt. Ma victime préférée est mon oncle, le loup Ysengrin.

Je suis..

4. Mon créateur, Robert Louis Stevenson, m'a doté d'une jambe de bois et d'un perroquet sur l'épaule. Pour obtenir le trésor de Flint, je suis prêt à tout.

Je suis..

5. Parce que je convoitais l'Anneau de Pouvoir, j'ai trahi le camp de Gandalf et j'ai rejoint le maléfique Sauron.

Magicien renégat, je suis..

6. Seule femme de cette bande de traîtres, je ne suis pas la moins redoutable : espionne, séductrice, menteuse, voleuse et meurtrière, je mène la vie dure à d'Artagnan, Athos, Porthos et Aramis.

Je suis..

Mots croisés

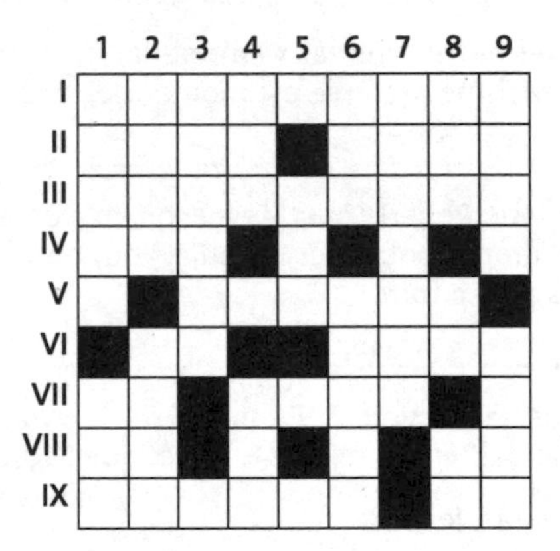

Horizontalement

I. Étendards.
II. Durendal ou Hauteclaire. Saint compagnon du roi Dagobert.
III. Ennemis des Francs.
IV. 1re, 3e et 4e lettres du nom de l'adversaire de Pinabel.
V. Évêque guerrier.
VI. Préposition, contraction de « en les ». Début du nom du neveu de Marsile.
VII. Abréviation de Notre-Dame. Chevalier de haut rang.
VIII. Préposition, contraction de « à le ». Langue du sud de la France au Moyen Âge.
IX. Un des douze pairs francs. Pronom réfléchi.

Verticalement

1. Chanson de .... Début de protection du nez.
2. 3e, 2e, 1re et 6e lettres du nom de l'un des prétendus dieux sarrasins. Aude à l'envers.
3. Entres, en désordre.
4. Matière de Durendal. Suit souvent « ne ».

5. Se respire.
6. Déterminant pluriel. Non chrétien, au sens médiéval.
7. Le plus proche compagnon de Roland.
8. Négation. 7e et 3e lettres du nom de l'émir. Régal du chien.
9. Située, en langage soutenu. Lignage.

Feriez-vous un preux chevalier ?

Retrouvez dans le texte des passages qui illustrent les règles suivantes du code d'honneur chevaleresque. Les numéros entre parenthèses renvoient aux laisses où vous trouverez les réponses.

1. Un preux chevalier doit être prêt à mourir pour son seigneur (79).
2. Seul un mauvais chevalier frappe son adversaire dans le dos (145).
3. En cas de litige entre deux chevaliers, on s'en remet au jugement de Dieu (277 et suivantes).
4. Les otages servent à garantir la parole donnée (3, 10, 278).
5. Seul un mauvais chevalier peut se laisser tenter par les richesses matérielles (45 à 50).
6. Un vaillant chevalier préfère la mort glorieuse au déshonneur (82 à 86).
7. Un traître reçoit des châtiments humiliants avant d'être mis à mort (137, 289).
8. Un chevalier peut, sans déshonneur, pleurer ou s'évanouir de chagrin (148 à 151, 205).
9. L'épée est l'arme des preux ; les armes de jet sont pour les couards (160).
10. L'épée d'un grand chevalier est personnifiée (172, 173).

L'Islam, par les chrétiens du Moyen Âge

La Chanson de Roland offre de la religion musulmane une image très éloignée de la réalité : par méconnaissance, mais aussi parce que, au moment où se préparent les croisades, le christianisme se veut la seule religion digne de foi. Pouvez-vous démêler le vrai du faux dans les affirmations suivantes ? Quelles sont celles formulées dans *La Chanson de Roland* ?

1. Les musulmans vénèrent Mahomet comme un dieu.
2. Les musulmans adorent les statues de leurs dieux et les croient magiques.
3. Allah est le nom de Dieu pour les musulmans.
4. Mahomet est le prophète fondateur de l'islam.
5. Tervagant et Apollin sont des dieux musulmans.
6. L'islam est une religion monothéiste.
7. Les musulmans sont polythéistes.
8. La religion musulmane proscrit toute image de Dieu.

Notes et citations

Notes et citations

Les classiques et les contemporains dans la même collection

ALAIN-FOURNIER
Le Grand Meaulnes

ANDERSEN
La Petite Fille et les allumettes et autres contes

ANOUILH
La Grotte

APULÉE
Amour et Psyché

ASIMOV
Le Club des Veufs noirs

AUCASSIN ET NICOLETTE

BALZAC
Le Bal de Sceaux
Le Chef-d'œuvre inconnu
Le Colonel Chabert
Ferragus
Le Père Goriot
La Vendetta

BARBEY D'AUREVILLY
Les Diaboliques – Le Rideau cramoisi, Le Bonheur dans le crime

BARRIE
Peter Pan

BAUDELAIRE
Les Fleurs du mal – *Nouvelle édition*

BAUM (L. FRANK)
Le Magicien d'Oz

BEAUMARCHAIS
Le Mariage de Figaro

BELLAY (DU)
Les Regrets

LA BELLE ET LA BÊTE ET AUTRES CONTES

BERBEROVA
L'Accompagnatrice

BERNARDIN DE SAINT-PIERRE
Paul et Virginie

LA BIBLE
Histoire d'Abraham
Histoire de Moïse

BOVE
Le Crime d'une nuit. Le Retour de l'enfant

BRADBURY
L'Homme brûlant et autres nouvelles

CARRIÈRE (JEAN-CLAUDE)
La Controverse de Valladolid

CARROLL
Alice au pays des merveilles

CERVANTÈS
Don Quichotte

CHAMISSO
L'Étrange Histoire de Peter Schlemihl

LA CHANSON DE ROLAND

CATHRINE (ARNAUD)
Les Yeux secs

CHATEAUBRIAND
Mémoires d'outre-tombe

CHEDID (ANDRÉE)
L'Enfant des manèges et autres nouvelles
Le Message
Le Sixième Jour

CHRÉTIEN DE TROYES
Lancelot ou le Chevalier de la charrette
Perceval ou le Conte du graal
Yvain ou le Chevalier au lion

CLAUDEL (PHILIPPE)
Les Confidents et autres nouvelles

COLETTE
Le Blé en herbe

COLIN (FABRICE)
Projet oXatan

COLLODI
Pinocchio

CORNEILLE
Le Cid – *Nouvelle édition*

DAUDET
Aventures prodigieuses de Tartarin de Tarascon
Lettres de mon moulin

DEFOE
Robinson Crusoé

DIDEROT
Entretien d'un père avec ses enfants

Jacques le Fataliste
Le Neveu de Rameau
Supplément au Voyage de Bougainville

DOYLE
Trois Aventures de Sherlock Holmes

DUMAS
Le Comte de Monte-Cristo
Pauline
Robin des Bois
Les Trois Mousquetaires, t. 1 et 2

FABLIAUX DU MOYEN ÂGE
LA FARCE DE MAÎTRE PATHELIN
LA FARCE DU CUVIER ET AUTRES FARCES DU MOYEN ÂGE

FENWICK (JEAN-NOËL)
Les Palmes de M. Schutz

FERNEY (ALICE)
Grâce et Dénuement

FEYDEAU
Un fil à la patte

FEYDEAU-LABICHE
Deux courtes pièces autour du mariage

FLAUBERT
La Légende de saint Julien l'Hospitalier
Un cœur simple

GARCIN (CHRISTIAN)
Vies volées

GAUTIER
Le Capitaine Fracasse
La Morte amoureuse. La Cafetière et autres nouvelles

GOGOL
Le Nez. Le Manteau

GRAFFIGNY (MME DE)
Lettres d'une péruvienne

GRIMM
Le Petit Chaperon rouge et autres contes

GRUMBERG (JEAN-CLAUDE)
L'Atelier
Zone libre

HIGGINS (COLIN)
Harold et Maude – *Adaptation de Jean-Claude Carrière*

HOBB (ROBIN)
Retour au pays

HOFFMANN
L'Enfant étranger
L'Homme au Sable
Le Violon de Crémone. Les Mines de Falun

HOLDER (ÉRIC)
Mademoiselle Chambon

HOMÈRE
Les Aventures extraordinaires d'Ulysse
L'Iliade
L'Odyssée

HUGO
Claude Gueux
L'Intervention *suivie de* La Grand'mère
Le Dernier Jour d'un condamné
Les Misérables – *Nouvelle édition*
Notre-Dame de Paris
Quatrevingt-treize
Le roi s'amuse
Ruy Blas

JAMES
Le Tour d'écrou

JARRY
Ubu Roi

JONQUET (THIERRY)
La Vigie

KAFKA
La Métamorphose

KAPUŚCIŃSKI
Autoportrait d'un reporter

KRESSMANN TAYLOR
Inconnu à cette adresse

LABICHE
Un chapeau de paille d'Italie

LA BRUYÈRE
Les Caractères

LEBLANC
L'Aiguille creuse

LONDON (JACK)
L'Appel de la forêt

MME DE LAFAYETTE
La Princesse de Clèves

LA FONTAINE
Le Corbeau et le Renard et autres fables – *Nouvelle édition des* Fables, *collège*
Fables, *lycée*

LANGELAAN (GEORGE)
La Mouche. Temps mort

LAROUI (FOUAD)
L'Oued et le Consul et autres nouvelles

LE FANU (SHERIDAN)
Carmilla

LEROUX
Le Mystère de la Chambre Jaune
Le Parfum de la dame en noir

LOTI
Le Roman d'un enfant

MARIVAUX
La Double Inconstance
L'Île des esclaves
Le Jeu de l'amour et du hasard

MATHESON (RICHARD)
Au bord du précipice et autres nouvelles
Enfer sur mesure et autres nouvelles

MAUPASSANT
Bel-Ami
Boule de suif
Le Horla et autres contes fantastiques
Le Papa de Simon et autres nouvelles
La Parure et autres scènes de la vie parisienne
Toine et autres contes normands
Une partie de campagne et autres nouvelles au bord de l'eau

MÉRIMÉE
Carmen
Mateo Falcone. Tamango
La Vénus d'Ille – *Nouvelle édition*

MIANO (LÉONORA)
Afropean Soul et autres nouvelles

LES MILLE ET UNE NUITS
Ali Baba et les quarante voleurs
Le Pêcheur et le Génie. Histoire de Ganem
Sindbad le marin

MOLIÈRE
L'Amour médecin. Le Sicilien ou l'Amour peintre
L'Avare – *Nouvelle édition*
Le Bourgeois gentilhomme – *Nouvelle édition*
Dom Juan
L'École des femmes
Les Femmes savantes
Les Fourberies de Scapin – *Nouvelle édition*
George Dandin
Le Malade imaginaire – *Nouvelle édition*
Le Médecin malgré lui
Le Médecin volant. La Jalousie du Barbouillé
Le Misanthrope
Les Précieuses ridicules
Le Tartuffe

MONTAIGNE
Essais

MONTESQUIEU
Lettres persanes

MUSSET
Il faut qu'une porte soit ouverte ou fermée. Un caprice
On ne badine pas avec l'amour

OVIDE
Les Métamorphoses

PASCAL
Pensées

PERRAULT
Contes – *Nouvelle édition*

PIRANDELLO
Donna Mimma et autres nouvelles
Six Personnages en quête d'auteur

POE
Le Chat noir et autres contes fantastiques
Double Assassinat dans la rue Morgue. La Lettre volée

POUCHKINE
La Dame de pique et autres nouvelles

PRÉVOST
Manon Lescaut

PROUST
Combray

RABELAIS
Gargantua
Pantagruel

RACINE
Phèdre
Andromaque

RADIGUET
Le Diable au corps

RÉCITS DE VOYAGE
Le Nouveau Monde (Jean de Léry)
Les Merveilles de l'Orient (Marco Polo)

RENARD
Poil de Carotte

RIMBAUD
Poésies

ROBERT DE BORON
Merlin

ROMAINS
L'Enfant de bonne volonté

LE ROMAN DE RENART – *Nouvelle édition*

ROSTAND
Cyrano de Bergerac

ROUSSEAU
Les Confessions

SALM (CONSTANCE DE)
Vingt-quatre heures d'une femme sensible

SAND
Les Ailes de courage
Le Géant Yéous

SAUMONT (ANNIE)
Aldo, mon ami et autres nouvelles
La guerre est déclarée et autres nouvelles

SCHNITZLER
Mademoiselle Else

SÉVIGNÉ (MME DE)
Lettres

SHAKESPEARE
Macbeth
Roméo et Juliette

SHELLEY (MARY)
Frankenstein

STENDHAL
L'Abbesse de Castro
Vanina Vanini. Le Coffre et le Revenant

STEVENSON
Le Cas étrange du Dr Jekyll et de M. Hyde
L'Île au trésor

STOKER
Dracula

SWIFT
Voyage à Lilliput

TCHÉKHOV
La Mouette
Une demande en mariage et autres pièces en un acte

TITE-LIVE
La Fondation de Rome

TOURGUÉNIEV
Premier Amour

TRISTAN ET ISEUT

TROYAT (HENRI)
Aliocha

VALLÈS
L'Enfant

VERLAINE
Fêtes galantes, Romances sans paroles *précédé de* Poèmes saturniens

VERNE
Le Tour du monde en 80 jours
Un hivernage dans les glaces

VILLIERS DE L'ISLE-ADAM
Véra et autres nouvelles fantastiques

VIRGILE
L'Énéide

VOLTAIRE
Candide – *Nouvelle édition*
L'Ingénu
Jeannot et Colin. Le monde comme il va
Micromégas
Zadig – *Nouvelle édition*

WESTLAKE (DONALD)
Le Couperet

WILDE
Le Fantôme de Canterville et autres nouvelles

ZOLA
Comment on meurt
Germinal
Jacques Damour
Thérèse Raquin

ZWEIG
Le Joueur d'échecs